1808-1834
As maluquices do Imperador

TROPICO DE CAPRICORNIO

PAULO SETÚBAL

1808-1834

As maluquices do Imperador

AS MALUQUICES DO IMPERADOR

3ª edição – Julho de 2023

Editor e Publisher
Luiz Fernando Emediato

Produção Gráfica e Editorial
Ana Paula Lou

Capa, Projeto Gráfico e Diagramação
Alan Maia

Imagens da capa:
Retrato de Dom Pedro I: óleo de Simplicio Rodrigues de Sá
Proclamação da independência: óleo de François-René Moreaux

Revisão
Marcia Benjamim

DADOS INTERNACIONAIS DE CATALOGAÇÃO NA PUBLICAÇÃO (CIP)
(Câmara Brasileira do Livro, SP, Brasil)

Setúbal, Paulo, 1893-1937.
As maluquices do Imperador / Paulo Setúbal. --
São Paulo : Geração Editorial, 2023.

ISBN 978-85-61501-06-8

1. Brasil – História – Império, 1822-1889 –
Ficção 2. Ficção histórica 3. Pedro I, Imperador
do Brasil, 1798-1834 – Ficção I. Título.

08-06092   CDD: 869.93081

Índices para catálogo sistemático

1. Romance histórico : Literatura brasileira
869.93081

GERAÇÃO EDITORIAL

EDITORIAL
Rua João Pereira, 81 – Lapa
CEP: 05074-070 – São Paulo – SP
Tel.: +55 11 3256-4444
Email: geracao@geracaoeditorial.com.br
www.geracaoeditorial.com.br

2023
Impresso no Brasil
Printed in Brazil

SUMÁRIO

Apresentação, 7

Brasil-Reino, 11

A bailarina do teatro S. João, 29

O casamento de D. Leopoldina, 51

Os ciúmes da princesa, 73

Plácido Pereira de Abreu, 85

Ratcliff, 97

A ceia do imperador, 109

O herdeiro do trono, 121

O comendador, 131

A Sé-Sé, 141

O baile Cor-de-rosa, 151

O chalaça, 163

Uma rainha brasileira, 179

07 de abril, 219

O fim, 237

Um livro fascinante, 246
por Fernando Jorge

Embarque de D. João VI para o Brasil, em 27 de novembro de 1807
Pintura de Nicolas Albert Delerive

APRESENTAÇÃO

Devo à gentileza vencedora de Júlio de Mesquita Filho a honra de haver ingressado nas colunas do "O Estado de São Paulo". Colaborei durante meses na grande folha. Colaborei, com orgulho, no jornal-padrão, legítima vaidade da imprensa brasileira.

Dessa colaboração, nasceu este livro. Botei-lhe o nome, um tanto beliscante, de Maluquices do Imperador. Dentro dele, diga-se a verdade, nem tudo são maluquices. Há muitas páginas inocentes. Mas, isso não estorvou o batismo: as inocentes que paguem pelas pecadoras! Que fazer? É a lei da nossa injustiça eterna...

Críticos de trabalhos meus anteriores, notadamente o Sr. Aggripino Griecco, censuram me o colocar, no fim das páginas, a citação das passagens onde apanhei a anedota ou o fato curioso. Acham que isto afeta o texto. É "mostrar os andaimes do edifício". Não fiz desta vez, citação alguma. Mas, é bom que o leitor saiba, desde agora, não haver eu inventado a substância de nenhuma das histórias que aí vão. Catei-as em vários autores.

Uns, já embolorados; outros, de uso corrente. Serviram-me de fontes, entre muitos outros:

Melo Morais, pai, ("Crônica geral", "História das Constituições", "Brasil-Histórico") H. Raffard ("Pessoas e Coisas do Brasil") A. Augusto de Aguiar ("Vida do Marquês de Barbacena") Francisco Gomes da Silva, ("Memórias Oferecidas à Nação Brasileira"), Vasconcellos Drummond ("Memórias"), D. Vieira ("Memórias Históricas"), A. Rangel, ("Textos e Contextos"), Alberto Pimentel ("A Corte de D. Pedro IV"), Loureiro ("Cartas do Brasil"), etc.

São Paulo, 1926

PAULO SETÚBAL

CHEGADA DA FAMÍLIA REAL
AO RIO DE JANEIRO
Geoff Hunt

BRASIL-REINO

7 DE MARÇO DE 1808. A nau *Príncipe Real,* com a flâmula azul branca panejando ao vento, entra galhardamente pela barra adentro. Todos os tripulantes, sacudidos por áspero bombardeio de surpresas, derramam olhos escancarados sobre o panorama embebedante, único:

— Que lindo! que lindo!

No ar que faísca, debaixo dum céu entontecedor, azul de Sèvres, o sol escachoa avanhandavas de ouro. E sob a luz fúlgida, dentro da sua virgindade selvagem, recorta-se em coloridos fortes a paisagem — maravilha. Águas e morros! Tudo pródigo, tropical, cheirando a terra moça, ineditamente belo. Como pássaros verdes, papagaios enormes pousados à tona d'água, surge das espumas um bando arrepiado de ilhas. Que pitoresco! E toda gente, na amurada, a apontar com o dedo:

— É a "Rasa"!
— A "Comprida!"
— A "Redonda"!

— Os "Dois Irmãos"!

— As "Palmas"!

Ao longe, magnífico bugre americano, lá está o Gigante de Pedra, estendido no chão, tatuado, brônzeo, com a sua empolgante monstruosidade rústica. Além, encoscorado e bravio, caboclamente brasileiro, o Corcovado pintalga-se de mataria brava, a paulama enroscada no cipoal, os nhacatirões gritando pelo carnavalesco das flores. Acolá, esbeltíssimo, núncio da Terra Nova, o Pão de Açúcar arremessa nas nuvens, arrogantemente, o seu pico de pedra, que fura o céu.

E o *Príncipe Real*, enfeitado de bandeirolas e de galhardetes, rasga com bizarria a ondada mole.

As fortalezas da terra, avistando-o, içam as cores portuguesas. E sob o cascatear do sol, na alegria olímpica da manhã, estruge de súbito uma atroada frenética. É a salva real que estronda, cento e um tiros pipocando, sinos a carrilhonarem, roqueiras, estrépito de rojões, zabumbas, charangas, fogos de artifício que riscam o ar.

De todos os lados, às dezenas, já os escaleres engaivotam as águas crespas da baía. Remam com fúria, rumo da nau que entra. Um deles, leve barquito com grandes embandeirados, alcança-o logo. Chega-se ao casco. Tomba-lhe da amurada a escadinha de bordo. Sôfrego, os olhos chispando, sobe por ela um passageiro. É José Caetano de Lima. É o primeiro carioca que se embarafusta pela nau. Os tripulantes abrem alas. E o feliz morador do Rio de Janeiro, ao passar, corre uns olhos atordoados pelo bando suntuoso.

Quanta gente luzida! São todos fidalgos do mais velho sangue. As damas, em grande decote, os cabelos encaracolados, chapéus de plumas berrantes, faíscam de sedas e de pedrarias. Os cavalheiros, hirtos, espartilhados, as casacas azuis de riço claro, trazem o peito estrelado de crachás. Apenas, com um destoar chocante, vêm dum beliche gritos estranhos, gritos roucos de mulher presa:

— Não me matem! Não me matem!

O embarcadiço continua varando a ponte. Em meio da turba, por entre a mescla rutilante de fidalgos e fidalgas, destaca-se um casal muito grave, muito protocolar, de quem os demais circunstantes se distanciam com respeito. Ele é gordo, muito rechonchudo, bochechas estufadas, olhos parados, de suíças. Ela é áspera, feições de homem, bigodes no lábio, pêlos no rosto, pêlos na mão, pêlos por toda parte. Ele, o molengo, é D. João VI; ela, a cabeluda, é D. Carlota Joaquina. São os regentes de Portugal.

José Caetano de Lima precipita-se para os dois. Tomba-lhes aos pés. Beija-lhes as mãos vitoriosamente: é o primeiro fluminense que, tonto de gozo, tem a ventura de prestar vassalagem aos fujões reais! Do beliche soturno, porém, ecoa subitamente a estranha voz:

— Não me matem!

É D. Maria, a Louca. É a rainha de Portugal que chega aos berros, encarcerada, enfunebrecendo a nau:

— Não me matem! Não me matem!

Assim, naquele dia gloriosamente radioso, por entre ribombos formidáveis, com espavento e gala, aportava ao Brasil, escorraçada por Napoleão Bonaparte, a família Real Portuguesa.

* * *

Napoleão Bonaparte e o embaixador da Espanha, trancados no salão nobre de Fontainebleau, assinam um tratado secreto. O Imperador está irritadíssimo. Ferreteado por aquela idéia avassaladora, obcecante, de matar a Inglaterra pelo isolamento, Bonaparte não admite que o misérrimo Portugal, depois de decretado o bloqueio, ainda tenha o atrevimento de conservar as suas amizades com a ilha. Eis porque, debruçado sobre o mapa, o lápis em punho, o corso retalha o reino dos Braganças em três pedaços. Acintoso, com a maior semcerimônia, distribuiu-os assim: o norte, que ele denomina a "Lusitânia Setentrional", destina galantemente a Maria Luísa de Bourbon e Parma, despojada agora do trono da Etrúria; o centro, o "Principado dos Algarves", oferece ao príncipe da Paz, o famoso espanhol Godoy; o sul, a "Lusitânia Meridional", toma-o singelamente para si. Destarte,

Retrato de D. João VI
Debret

juntamente com a Espanha, fica resolvido o destino da naçãozinha inútil. Está riscado Portugal da Europa. E logo, sem grandes motivos, começam as atitudes agressivas. Rompem-se as relações diplomáticas. O embaixador português, D. Lourenço de Lima, recebe de Talleyrand os seus passaportes. Essa notícia ecoa aterradoramente em Lisboa. D. João, num desnorteio, faz o Marquês de Marialva partir num atropelo para Paris. Leva o ilustríssimo fidalgo os mais rastejantes protestos de amizade. Leva para Bonaparte um baú de presentes opulentíssimos, grossos fios de pérolas, saquinhos atulhados de diamantes brasileiros. Leva ainda mais — oh pavor! — ordens de oferecer a mão do próprio D. Pedro, herdeiro do trono, a qualquer pessoa da família do Imperador. A filha de Luciano seria recebida com grande gosto. Ou então, se fosse do agrado de Napoleão, mesmo a filha dum general qualquer... Mas, o coche dourado de Marialva ainda não havia transposto as fronteiras, já as tropas de Junot rompiam uivantes pela península adentro. Vinham como um furacão. Ia tudo raso! O pobre D. João, no seu palácio, ouviu o estrépito ameaçador. Não houve mais que trepidar: embarcou espavorido para o Brasil. Esse embarque, essa fuga dum ridículo espantoso, a mudança de toda uma corte em vinte e quatro horas, foi incrível página de opereta. Foi página dolorosamente bufa. Oliveira Martins pintou-a com pinceladas de ouro.

* * *

O bergantim real, alcatifado de coxins de veludo, com o seu belo toldo de damasco franjado, atracou debaixo do mais quente ribombo de festa. O povo espremia-se no cais. Milhares de espectadores, com avidez mordente, o coração aos saltos, contemplavam, fascinados, a embarcação garrida. Tudo queria "ver o rei". O Conde dos Arcos, que então governava o Brasil, correu a abrir a portinhola: e do bergantim, muito ataviada de garridices, desceu lustrosamente a família real. Era D. João VI, em grande gala. Era

D. Carlota Joaquina, com o seu fuzilante diadema de pedrarias. D. Pedro, o herdeiro do trono, principezinho de nove anos, muito vivo, os cabelos crespos e negros, saltou acompanhado de Frei Antônio de Arrábida, o preceptor. Seguia-o o irmão mais moço, o infante D. Miguel, todo de veludo, calças compridas, o gorro apresilhado por um fúlgido broche de pedras. As princesas vinham enfeitadas com primor. Muito lindas. Vestiam sedas dum azul pálido, enevoadas de arminhos, com grandes diamantes nas orelhas e altos trepa-moleques nos cabelos. Viera, também, galhardo e belo, um moço arrogante, muito simpático, olhos romanticamente verdes: era o Senhor D. Pedro Carlos de Bourbon e Bragança, infante da Espanha, sobrinho dos regentes.

No cais, fora armado um altar. D. João e D. Carlota, seguidos pelo príncipe e pelos infantes; ajoelharam-se diante dele. O chantre da Sé tomou da água benta e aspergiu ritualmente os reais hóspedes. Tomou do turíbulo de prata e incensou-os por três vezes. D. João, com fervorosa compungência, caiu então por terra: beijou o Santo Lenho. A corte, prosternando-se, acompanhou-o no beijo tradicional. Depois, ao longo do cais, formou-se o séquito de honra. Lá ia a bandeira, lá ia a cruz, lá iam os nobres, lá ia o clero, lá ia a gente da terra. No meio das alas, carregado pelo Senado da Câmara, franjado de ouro, rutilando ao sol, um imenso pálio de seda: e, debaixo dele, com os seus atavios carnavalescamente vistosos, a deslumbrar a colônia, toda a família real.

Nas ruas, recobertas de areia branca, esparzidas de flores e de folhagens profusíssimas, as casas enfaceiraram-se garridamente. Colchas de seda, tapeçarias e veludos, damascos de coloridos fortes, tudo palpitava, ria, baloiçava-se às portas e janelas, despencava-se festivamente das varandas. Papagueantes, agitando o lenço com entusiasmo, despejando braçadas de rosas, as donas enramilhetavam as sacadas, faiscavam de louçanias, punham no quadro cores estonteantes, todas com muita pluma, com muita renda, com muita seda, com muita pedraria de preço. E eram foguetes pelo ar, estampidos nas

D. Maria I (A Louca)
Giuseppe Troni (atribuição)

ENTRADA DA BAÍA (DA GUANABARA)
VISTA DO MORRO DE SANTO ANTONIO, 1818
Nicolas-Antoine Taunay

D. Carlota Joaquina
Nicolas-Antoine Taunay

fortalezas, músicas reboantes, vivas, alegrias loucas, ensurdecedoras. O cotejo magnífico penetrou na Catedral. Começou o "Te-Deum"...

* * *

Nessa noite, houve grandes luminárias. A casa dos Telles, em frente ao Paço, resplandecia, fascinante. Chispava de tanta luz, tinha tantos copinhos de vela, com tantas cores, que a própria D. Carlota Joaquina mandara felicitar os donos pelo gosto. E enquanto, sob júbilos barulhentos, o povo pasmava-se diante dos rojões de lágrimas que subiam ao céu, D. João VI, sentado no trono, com o seu faustoso manto de niza branca, dava no Brasil o seu primeiro beija-mão. O Rio de Janeiro, a cidadezinha colonial, a terra selvagem dos macacos, viu estadear-se nessa noite, com fausto espaventoso, a mais legítima aristocracia de Portugal. Que desfilar empavonado!

A corte atulhava garridamente os salões toscos e nus daquele pobre Paço. Era a Senhora D. Mariana Xavier Botelho, Duquesa de S. Miguel, camareira-mor da rainha D. Maria, emproada e grave, com a sua riquíssima afogadeira de pérolas ao pescoço. Era a Marquesa de Luminares, primeira-dama de D. Carlota Joaquina, muito broslada de rendas, toda a refulgir no seu bizarro vestido cor de açafrão. Era a Duquesa de Cadaval, com os seus gorgorões pesados, os caracóis brancos do cabelo tombando-lhe versalhescamente pela nuca. A Marquesa de Belas, olheirosa e pálida, ainda atordoada dos cambaleios da nau, desolava-se com a desolada Condessa de Caparica, que deixara em Lisboa, no atropelo do embarque, o seu querido samovar de prata manuelina. Mas, não eram apenas as donas. Perpassavam refulgentes, o peito abrolhado de insígnias, os nomes mais retumbantes do reino. D. José Noronha Camões de Albuquerque, Marquês de Anjeja; D. Álvaro Antônio de Noronha e Castello Branco, Marquês das Terras Novas; o Marquês de Alegrete, o Conde de Cavaleiros, o Visconde de Anadia, José Rufino de Sousa Lobato, o guarda-jóias, o amigo íntimo de D. João. Toda uma turba de marechais, de desembargadores, de eclesiásticos, de moços da Câmara, de guarda-roupas, de damas do paço, de damas de honor...

* * *

No outro dia, com protocolos infindáveis, houve nova procissão no cais. A Corte inteira abalou-se para receber a rainha, que ficara a bordo. D. Maria I desceu da nau, espavorida, o olhar tonto, muito pálida. A doida contemplou estupidamente a turba. Um terror agoniante pintou-se-lhe no rosto. Quis fugir. Mas agarraram-na logo. Meteram-na dentro duma cadeirinha dourada. E quando, na cadeirinha, ouviu o baque da portinhola que se fechava, a louca prorrompeu em berros, que faziam mal:

— Não me matem! Não me matem!

E recolheram-na ao Paço.

Durante nove dias, a cidadezinha encheu-se de festa. Durante nove noites a cidadezinha encheu-se de luminárias. Foi um estontea-mento! D. João andava radiante. Uma alegria torrenciosa borbulhava-lhe no peito: livre, enfim, das garras de Napoleão Bonaparte! Uff!

E pôs-se tranqüilamente a comer os seus três franguinhos no almoço e os seus três franguinhos no jantar.

No Brasil, durante largo tempo, a vida de D. João correu sem arrepios. Tudo aqui lhe era propício: o clima, a pacatez, a água da Quinta, as laranjas da Bahia, a solidão. Apenas, na fazenda de Santa Cruz, um carrapato ferrou-lhe na perna. D. João arrancou-o bruscamente: o ferrão do animal ficou-lhe cravado na carne. Mordida feroz! O regente mancou durante vários meses... A não ser isso, a não ser o dente do bicho, nada viera quebrar a serenidade daquele viver. Tudo mar de rosas.

E D. João, inspirado pelos ministros, começou a engrandecer o país. Abriu os portos da Colônia ao mundo. Criou o desembargo do Paço. Organizou o Banco do Brasil. Fundou a Escola de Medicina. Fundou a Academia de Belas-Artes. Fundou a tipografia régia. Construiu uma fábrica de pólvora. Mandou explorar as minas de ferro do

D. João VI e D. Carlota Joaquina
Manuel Dias de Oliveira

Ipanema. Fez o Jardim Botânico. Abriu a Biblioteca Nacional. Um infindar de benefícios!

A terra, com tais reformas, tomou um surto vertiginoso. Tamanho, tão forte, que os ministros levantaram logo a idéia de se elevar o Brasil a reino. D. João recebeu a medida com bom semblante. Formou-se em torno dela uma forte corrente de simpatias. Cogitou-se afoitamente em realizá-la. Mas D. Carlota Joaquina interveio. A espanhola detestava o Brasil. Aqui, era terra de negros, aqui, era terra de degradados, aqui, era o fim do mundo. Seria ridículo elevar a reino um país imundo como este. E D. Carlota combateu rijamente o plano: estabeleceu-se na Corte uma luta manhosa, uma luta na sombra, melindrosíssima.

Nesse instante, em Viena, reunia-se um congresso formidável. É em 1815. Enquanto Napoleão Bonaparte, sob o olhar implacável de Hudson Lowe, escreve as suas memórias em Santa Helena, os embaixadores das grandes potências discutem a paz da Europa. Talleyrand, a mais alta cabeça diplomática da época, defende os interesses da França. O estadista tremendo, para defendê-los, apóia-se habilmente nas pequenas nações que conseguiu seduzir e coligar em torno de sua política. Talleyrand nesse momento, tem os olhos do mundo fixados nele. O Conde da Barca, Ministro da Guerra, amigo particular do grande francês, escreve-lhe uma carta reservada, muito íntima, suplicando que intervenha no caso do Brasil. Pede que Talleyrand, não só trabalhe pela elevação do Brasil a reino, como faça que esse ato seja reconhecido pelo Congresso de Viena. Dentro da carta, muito agradavelmente com uma gentileza irresistível, ia, ao que dizem, uma ordem de cem mil cruzados. Ia, naqueles belos tempos, a bagatela de quatrocentos contos fortes. Talleyrand recebe a carta, o pedido, o dinheiro. Uma súbita idéia irrompe naquele cérebro de gênio. Portugal, no Congresso, é considerado como nação de terceira ordem. E as nações de terceira ordem não têm voto nas deliberações. Nem sequer têm assento no recinto do Congresso: são apenas consultadas na antecâmara. O reino dos Braganças, por isso mesmo, não pode tutelar como deve os seus direitos.

D. João pleiteia ardentemente a entrada no Congresso. Talleyrand, por seu turno, precisa nas deliberações do voto da pequena nação amiga. E bate-se então, de corpo e alma, pelo reconhecimento de Portugal como grande potência. As nações opõem-se. Qual o meio de vencê-las? Diante da missiva secreta do Conde da Barca, Talleyrand ilumina-se. Está descoberta a fórmula. É executar o pedido do seu amigo. É elevar o Brasil a reino. É dar a estes imensos domínios o privilégio de nação. Portugal, dono de tão vasto reino, tornar-se-ia, forçosamente, potência de primeira ordem. Entraria no Congresso e teria voto nele. E o estadista põe-se a campo. Fala com os embaixadores portugueses, manda instruções ao Rio, dá ordens ao ministro francês, agita-se, insufla, escreve. D. João não vacila mais: reúne o conselho e expõe a matéria. Os ministros, sem discrepar, são todos pela grande medida. Então, esfregando as pontas dos dedos, rindo aquele risinho amarelo, muito dele, D. João resolve:

— Diante do que ouvistes, senhores ministros, vou elevar o Brasil a reino. Precisamos ter assento e voto no Congresso de Viena. E é esse, como vedes, o único alvitre para chegarmos até lá.

E elevou o Brasil a reino.

* * *

Talleyrand, ao ter ciência do ato, discutiu-o em Viena: Portugal, por consenso unânime, foi reconhecido como grande potência. Sentou-se no recinto do Congresso e teve voto nas deliberações. E assim, graças ao famoso francês, o Brasil deixou de ser colônia. Ficou reino: dera um passo formidável para a sua independência.

Família no Rio de Janeiro de D. João VI
Henry Chamberlain

A BAILARINA DO TEATRO S. JOÃO

20 DE MARÇO DE 1816. O Rio de Janeiro amanheceu lúgubre. Tudo bruma e cinza. Bóia no ar uma plangência estranha. Bandeiras enroladas em fumo. Dorido tanger de sinos. Veludos negros tombando das varandas. Os coches carregados de crepes. No paço, onde há um borborinhante vaivém de gente, os cortesãos sobem e descem as escadarias, todos de preto, protocolarmente compungidos, num grande luto. Que houve? Um acontecimento grave: morreu D. Maria I, a Louca, mãe de D. João VI.

Na Sala dos Despachos, transformada em câmara mortuária, repousa o cadáver da rainha. É uma velha de oitenta e dois anos. As mãos em cruz, muito longas e maceradas, um sorriso esvoaçante gelado na boca, a morte está paramentada de grande gala. Faísca-lhe ao peito a grã-cruz de S. Tiago. Traz a tiracolo a banda da Ordem de Cristo. Traz a banda encarnada de Avis. Envolve-lhe o busto, com chocante suntuosidade, o manto real de veludo carmesim, forrado de seda branca, todo borrifado de estrelas de ouro.

O corpo ficara em exposição.

Espera-se, apenas, que D. João VI venha beijar-lhe as mãos para franquear a câmara ao público. D. Carlota Joaquina, essa, pela manhã, já viera com as filhas. A rainha D. Maria, em vida, detestara D. Carlota Joaquina. D. Carlota, por sua vez, detestara a rainha. Não se toleraram nunca. Nesse dia, por mera etiqueta, D. Carlota penetrou na câmara ardente, beijou friamente a mão da morta, virou as costas, saiu sem derramar lágrima. Encerrou-se, depois, nos seus apartamentos. E nunca mais tornou a penetrar na câmara. Nem sequer desceu para acompanhar o esquife até o coche.

O pobre D. João VI, no entanto, desolara-se fundamente. Chorou como um menino, aos borbotões. Filho incomparável, afetuosíssimo, a perda da rainha lanhara-lhe o coração como uma espadeirada. E agora, naquele instante, Sua Majestade deve descer para a despedida.

São três horas da tarde. Os corredores estão coalhados de palacianos. Todos esperam o rei. Nisso, de luto fechado, os olhos muito vermelhos, cabelos em desordem, D. João aparece no salão mortuário. Vem acompanhado de D. Pedro e D. Miguel. O Conde de Parati e o Visconde de Magé, os seus validos, os dois amigos do coração, circundam-no funereamente. Ambos choram. Na câmara ardente, de pé, os vestidos lantejoulados de vidrilhos negros, a Senhora Viscondessa do Real Agrado, que é camareira-mor, e D. Margarida Sofia de Castello Branco, que é dona da câmara, velam com fundos respeitos o corpo real. D. João entra. O Marquês de Anjeja, reposteiro-mor, retira o manto que cobre a defunta. E então, sinceramente ferido, as lágrimas a saltarem-lhe dos olhos, aquele homem gordo, bochechudo, abraça desvairadamente o cadáver da mãe. Beija-o. Beija-o longas vezes. Beija-o repetidamente, aos soluços, acabrunhado, num grande desespero comovido. O príncipe e o infante debruçam-se também sobre o caixão: e ambos, com um ósculo demorado, despedem-se da avó. É tocante. Mas, o Senhor Marquês de Aguiar, D. Fernando José de Portugal e Castro, ministro das três pastas, suplica ao rei que se recolha. Os validos também suplicam-lhe que se poupe a tanta dor. D. João, que chora sempre, deixa a câmara mortuária. Retira-se para os seus aposentos. Uma angústia cruciante rasga-lhe a alma: é a única dor sincera, a única chaga viva que abriu a morte da louca.

* * *

Oito horas da noite. Trancado no seu quarto, muito inquieto, o príncipe D. Pedro passeia agitadamente. Tudo aquilo, aqueles lutos, aqueles cortesãos fúnebres, aqueles coches recobertos de crepe, revira-lhe azedamente os nervos. De vez em quando, enfiando o olhar pela janela, Sua Alteza vê os altos dignitários chegarem para o beija-mão. É o Cardeal Capelli, núncio apostólico, com as suas sedas escarlates; é Lorde Strangford, o ministro inglês, de casaca negra, luvas, cartola felpuda de palmo e meio; é o Conde de Cavaleiros, mordomo-mor, com o seu largo fitão a tiracolo e a Ordem de Cristo vermelhejando na lapela; é o...

E D. Pedro, aquele belo príncipe de dezessete anos, moreno, olhos muito negros e muito românticos, aquele moço garboso, aquele moço doidivanas e estúrdio, que enche a corte com os seus estouvamentos, D. Pedro é talvez o único, na hora fúnebre, que não se interessa por aquelas pompas, por aqueles crepes, aqueles lutos. O seu espírito está longe dali. A sua ânsia é outra. Punge-lhe um desejo estranho. Ferreteia-lhe uma vontade louca de voar, de deixar o Paço, de fugir àquelas tristezas, de correr para um ninho amado... Para um ninho que o espera com carícias entontecedoras. E D. Pedro, dentro dos seus aposentos, numa irascibilidade mórbida, anda, fuma, agita-se. Goteja-lhe no cérebro um pensamento só. É uma idéia fixa, enrodilhante. No desvario duma paixão furiosa, paixão de adolescente, D. Pedro não pensa noutra coisa senão no seu amor. Não aspira outra coisa a não ser o saciar aquela tortura faminta de amar e ser amado. E sozinho, naquela noite lúgubre, o príncipe sonha com ela... E arde por ela... Ela por toda parte! De repente, num assomo, D. Pedro bate palmas. O criado ergue o reposteiro. É Plácido Pereira de Abreu. É o antigo barbeiro do Paço. É a pessoa que o príncipe mais estima na corte. E D. Pedro, ao vê-lo, ordena-lhe em voz baixa:

— A minha capa negra e o meu sombreiro de abas largas.

Plácido sorri. E o príncipe:

— Você já sabe aonde vou, não sabe?

— Sei! Vossa Alteza vai para o Largo do Rocio.

— Vou! Não posso mais. Aquela mulher é a minha paixão...

— Mas, é bom que Vossa Alteza se acautele, tornou o criado; é bom não sair pela frente do Paço. Há muito coche, muito escudeiro, muita gente graúda que vem chegando. Vossa Alteza pode topar com muito mexeriqueiro. É mais prudente que Vossa Alteza saia pelo alçapão.

— Você tem razão, Plácido. Traga-me a capa e abra o alçapão.

Plácido trouxe a capa. D. Pedro enrodilhou-se profundamente nela. Enfiou o chapéu de abas largas, enterrou-o na cabeça, quebrou-o nos olhos. O criado, depois de vestir o amo, recuou uma pequena mesa que havia no meio do aposento. Ergueu o tapete. Depois, com jeito, levantou um alçapão disfarçado no soalho. D. Pedro meteu-se por ele. Pulou no andar térreo. Era exatamente a "Sala dos Pássaros[1]". Daí, abrindo as portas do fundo, D. Pedro precipitou-se na rua.

De preto, enrodilhado na capa negra, o vasto chapéu mergulhado até as orelhas, o vulto misterioso esgueirou-se pelos becos escuros do velho Rio. Um ou outro lampião de azeite. Escuridão espessa na cidadezinha suja. De vez em quando, passava um capoeira assobiando. Tudo mais silêncio. O príncipe alcançou o Largo do Rocio. Estacou diante dum sobrado. Bateu à porta. Uma luz súbita jorrou lá dentro. E logo, na sacada, uma voz sonora, muito orvalhada, gritou do alto:

— "Qui est-lá?"

E o príncipe, cá em baixo, com um sussurro:

— Sou eu! Abra...

---

[1] Brasil-Reino e Brasil-Império, fls. 52 "havia em São Cristóvão, na sala dos pássaros, um alçapão que se comunicava com o guarda-roupa. E sobre este alçapão havia uma pequena mesa, etc.".

D. Pedro I
Hippolyte Taunay

Instantes depois, no sobrado do Rocio, D. Pedro, arremessando a capa, atirava-se perdidamente nos braços duma linda moça. A rapariga, fina e leve, ria-se daquela maluquice em noite tão fúnebre...

Era a Noemi. Era a famosa bailarina do Teatro S. João.

Foi numa noite de gala, aniversário do príncipe regente, que D. Pedro viu no palco, pela primeira vez, a bailarina entontecedora. Era uma francesinha de matar. Uma boneca de luxo, toda pluma frágil como um bibelô. E tão loira! E tão fresca! E dona duns olhos tão grandes, tão liricamente azuis! D. Pedro era um príncipe impetuoso. Tinha dezessete anos, o coração sôfrego. A bailarina, a criatura pequenina e doce, fascinou-o doidamente. D. Pedro atirou-se às tontas na aventura. Noemi foi o seu primeiro amor. Foi a loucura da sua adolescência. O moço Bragança desatinou-se. Fez tudo o que podia fazer, aos dezessete anos, um príncipe de sangue, herdeiro do trono, desbragado e estróina. Viveu com a rapariga uma vida de romance, boemia, ensartado de noitadas febrentas, com serenatas de violão e de lundus. Cobriu-a de sedas. Recamou-a de pérolas. Lantejolou-a de pedrarias magníficas. Foi um estonteamento! A aventura custou-lhe uma fortuna.

Um dia, porém, o Plácido veio despertá-lo bruscamente daquela embriaguez de amor. O criado falou com severidade:

— É preciso liquidar as dívidas, príncipe! Vossa Alteza está encalacrado. A casa Phillips anda reclamando o pagamento... A coisa já vai longe!

D. Pedro, com indiferença:

— Quanto é que eu estou devendo, Plácido?

— É fácil dizer, Alteza.

Sacou um caderninho do bolso e começou a fazer as contas:

— Casa Phillips... joalheiro do Paço... ourives da Rua do Piolho... modista da Rua do Ouvidor... modista da Ajuda... perfumista... florista... luveiro... dinheiro fornecido... Tudo somado, como Vossa Alteza vê, faz onze contos novecentos e oitenta. Digamos doze contos.

— Doze contos?

E, D. Pedro, estuporado, deu um salto da cadeira:

— Doze contos?

— Doze contos! E é preciso pagar. Os fornecedores vivem atrás de mim. Eu sempre a adiar...

— Diabo, exclamou o moço num esbraseamento, pondo as mãos na cabeça; diabo! Onde vou eu achar tanto dinheiro?

D. Pedro recebia um conto de réis por mês. Aquela bagatela mal dava para a tença dos seus moços da câmara, para pagar os seus criados, fazer as suas esmolas, comprar os seus cavalos. Mas, D. João era sovina. Um unha-de-fome. Não havia meio de sair do conto de réis. Por isso, diante da dívida, diante daqueles doze contos de réis, o príncipe desnorteou-se. Não sabia como desentalar-se. O Plácido começou a sugerir planos:

— Vossa Alteza procure o Targini, tesoureiro de el-Rei, conte o que sucedeu, peça o dinheiro.

— Está maluco, Plácido? O Targini faz um barulho de cair o céu! Arrebenta o escândalo por aí. Meu pai enlouquece...

— Neste caso, antes de falar ao Targini, Vossa Alteza fale com um valido do Senhor D. João. O Visconde de Magé ou o Conde de Parati. Vossa Alteza expõe o que há, pinta claramente o aperto, pede aos validos que convençam D. João a fornecer o dinheiro.

D. Pedro detestava os validos do pai. Nunca lhes dirigia a palavra. Achava-os muito tolos e muito carolas. Dava-lhes a mão a beijar secamente. Nunca teve um sorriso para eles. Eis porque, sem vacilar, exclamou com vivacidade:

— Deus que me guarde! Eu prefiro morrer a pedir um favor àqueles beatões. Aquilo é gente ruim. Uns pestes! Vamos bater noutra porta...

E começaram ambos, o amo e o criado, a engendrar um meio de pagar as dívidas. O Plácido lembrou timidamente:

— O *Pilotinho*, se Vossa Alteza quisesse, emprestaria o dinheiro...

— O *Pilotinho?*

— Sim, o *Pilotinho*. Eu vou sempre molhar a goela, na bodega do homem; e o homem, cada vez, não se esquece de me dizer: "oh!

Plácido, vê se arranjas um jeitinho de eu me encaixar nas boas graças do Paço. Tu és tão amigo lá do Príncipe..." Ora, como Vossa Alteza sabe, o *Pilotinho* é rico. Uma palavra de Vossa Alteza — zás — estão aqui os doze contos de réis...

D. Pedro era um estróina. Um doidivanas completo. Não refletiu um instante no disparate daquele alvitre. Pedir emprestado dinheiro ao *Pilotinho* era para D. Pedro tão natural como pedir emprestado a D. João VI. E o príncipe agarrou-se à idéia:

— Bravos! Não há que discutir. Corra à casa do *Pilotinho* e traga-me aqui o homem com os doze contos.

O Plácido saiu.

Joaquim Antônio Alves, o *Pilotinho,* era um pé-de-chumbo rico, bodegueiro na Rua dos Barbonos. O dinheiro dera-lhe prestígio. E o homem andava faminto por doirar aquele prestígio com amizades vistosas, que o honrassem. O Plácido contou-lhe o que havia. Transmitiu-lhe o pedido do príncipe. O bodegueiro abriu dois olhos fuzilantes! Correu para dentro, vasculhou uma empoeiradíssima arca, empacotou um monte de notas, veio num aturdimento para o Paço. O Príncipe, ao vê-lo entrar, recebeu-o com bulhento alvoroço. Pegou no dinheiro, fechou-o no contador, virou-se esfuziante para o pé-de-chumbo:

— Você é amigo, *Pilotinho!* Você é um grande amigo! Tome lá...

E abraçou-o. Abraçou-o com uma larga ternura comovida. O *Pilotinho,* o tosco bodegueiro, para receber do herdeiro do trono um abraço assim tão quente, tão apertado, não emprestaria apenas aqueles misérrimos doze contos: daria ao príncipe toda a sua fortuna...

II

A ACLAMAÇÃO de D. João VI foi um deslumbramento. A mais soberba festa que a Colônia vira até então. Aquele rei burguês, aquele homem bonacheirão e gordo, empenhara-se com alma, rasgadamente, para que seu grande dia tivesse um brilho único, estonteante. Não houve poupança. Targini, o tesoureiro de el-Rei, abriu os cofres atulhados de barras de ouro. E foi um gastar profuso, um enfeitar, um cobrir de luxos desmedidos aquele pobre Rio de 1816.

São três horas da tarde. A *Varanda Real* cintila. É um pavilhão imenso, suntuosíssimo, que João da Silva Muniz, arquiteto do Paço, sob o olhar vigilante do Barão do Rio Seco, construíra exclusivamente para o ato supremo. Faíscam dentro dele atavios régios. Toda a aristocracia da corte, a mais alta, a de sangue mais limpo, borborinha por entre os capitéis dourados. Nas tribunas, de onde jorra uma crua faiscação de jóias, papagueiam risonhamente as damas, os decotes branquejando entre rendas e gazes, os altos trepa-moleques de ouro cravados nos cabelos em coque. Lá está na tribuna de honra, que é de seda rosa, toda broslada de arminhos, a Senhora D. Carlota Joaquina, muito empoada, pêlos ruivos na cara áspera, sentada triunfalmente entre as quatro princesinhas.

De repente, pelo ar festivo, rompem as charamelas. A corte inteira, ao toque eletrizante, ergue-se com ânsia. Os olhares todos cravam-se ávidos na entrada. O Porteiro Real escancara as portas. E o cortejo magnífico surge. Que belo! À frente, com as grossas maças de prata ao ombro, vêm os Porteiros da Cana. Depois, o Rei-d'Armas, com o seu vistoso capacete empenachado. Seguem-se os dois Arautos, com as longas trompas de ouro. Finalmente os Passavantes cobertos de ferro, as couraças de escamas refulgindo. O Alferes-Mor empunha a Bandeira Real enrolada na haste. E o séquito passa. São os Moços da Câmara, são os Moços Fidalgos, são os Grandes do Reino, são os Bispos, é Tomás Antônio Vilanova Portugal, Ministro e Secretário de Estado.

Enfim, o Rei.

Sua Majestade tem à direita o Príncipe D. Pedro, herdeiro do trono, descoberto, um largo fitão a tiracolo. À esquerda, servindo de condestável, o Infante D. Miguel trazendo na mão um estoque desembainhado. E D. João VI entra. A Varanda Real freme, sacudida. Lá fora, uivando, o povo delira. E é uma atroada louca, ribombos de

D. Pedro I
Debret

canhão, morteiros, sinos bimbalhantes, charangas enchendo os ares de marchas estrepitosas. O Rei está soberbo. É a primeira vez que os vassalos o vêem com todas as galas da realeza. Faíscam-lhe ao peito as insígnias de suas ordens. Pende-lhe do pescoço o colar do Tosão de Ouro. Tomba-lhe dos ombros, com a mais grandiosa magnificência, o manto real. É riquíssimo, de veludo carmesim, bordado a fios de ouro, semeado de castelos e quilhas, apresilhado por dois imensos broches de diamantes que fuzilam, fulgurantíssimos. O Conde de Parati, no ofício de camareiro-mor, carrega a cauda do manto. Sua Majestade avança rutilando até a um alto estrado. Aí, sob largo dossel de damasco, está armado o trono real. O Marquês de Castelo Melhor, reposteiro-mor, retira o damasco que o cobre. O Conde de Parati entrega à Sua Majestade o cetro. D. João senta-se. Os cortesãos, de acordo com seus cargos, espraiam-se pela Varanda. Ao lado do trono, atendendo o Rei, ficam o Marquês de Torres Novas e D. Nuno José de Sousa Manuel, gentis-homens honorários. Em frente, hirto e solene, o Ministro do Reino. Depois, o Marquês de Anjeja, que serve de mor-domo-mor. Vêm após os seis Bispos. Depois, os Grandes do Reino. Depois, os Titulares. Depois, o Senado da Câmara. Depois, a Mesa do Desembargo do Paço. Depois, a Casa da Suplicação. Depois...

Há um instante de silêncio. O Ministro de Estado faz um sinal ao Rei-d'Armas. O Rei-d'Armas avança até o meio do salão. Curva-se diante de Luís José de Carvalho e Melo, ilustríssimo Desembargador do Paço. O Desembargador levanta-se, atravessa a Varanda, posta-se em frente ao Monarca. O Rei-d'Armas brada com retumbância:

— Ouvide! Ouvide! Ouvide! Estai atentos...

E Carvalho de Melo, diante do trono, sob um silêncio grave, declama a fala do protocolo. É rápida. Meia dúzia de frases rituais. E logo, terminada a arenga, o Marquês de Castelo Melhor coloca diante de Sua Majestade uma pequena mesa recoberta de veludo verde. É a hora do "Juramento Real". Momento supremo. D. José Caetano, o Bispo-Capelão, recebe do mestre-de-cerimônias o missal e o crucifixo. Deposita-os sobre a mesa. Ajoelha-se. O Bispo de Azoto, Prelado de Goiás, e o

Bispo de Leontópolis, Prelado de Moçambique, testemunhas do grande ato, ajoelham-se também. O ministro do Reino, nesse momento, curva-se diante do trono: Sua Excelência suplica a el-Rei que jure. D. João levanta-se. Passa o cetro para a mão esquerda. Ajoelha-se numa vasta almofada acairelada de ouro. Estende a mão direita sobre o missal e o crucifixo. E solene, com uma lentidão majestosa, debaixo do olhar sôfrego da corte, el-Rei presta o juramento sagrado:

— Eu, João, Rei de Portugal, do Brasil, dos Algarves, juro...

E repete, palavra por palavra, a fórmula sacramental que o Ministro do Reino vai lendo em alta voz. Está acabado o juramento. D. João torna a sentar-se no trono: está definitivamente Rei.

Principia, então, com as mais severas etiquetas, uma outra cerimônia. Cerimônia das mais sérias e significativas: é o juramento de "Preito e Vassalagem a el-Rei". O primeiro que jura é o Príncipe Herdeiro. Em seguida, o Infante D. Miguel. Depois, segundo as suas hierarquias, o Ministro do Reino, os Bispos, os Desembargadores, os Grandes, os Titulares, a Nobreza. D. João, do alto do trono, recebe com um sorriso o juramento dos cortesãos. Quando o desfile finda, cessado aquele burburinhar de gente, o Alferes-Mor desenrola a bandeira real. E festivamente, em altas vozes:

— Real, Real, Real, pelo muito Alto e muito Poderoso Senhor D. João VI, Nosso Senhor!

Toda a corte prorrompe num brado só, entusiasticamente:

— Real, Real, Real!

E estrugem as músicas, largo vozerio. Há uma alegria desordenada pela Varanda. O Alferes-Mor, com a bandeira desenrolada, grita em meio do tumulto:

— Alas! Alas!

Todos abrem alas. O Alferes-Mor embarafusta-se por entre as alas abertas. Vão-lhe à frente os Porteiros da Cana, o Rei-d'Armas, os Arautos, os Passavantes. E o préstito a passo lento, aproxima-se do balcão que dá para o Terreiro do Paço. Ali, na sacada, diante de todo o povo, o Rei-d'Armas brada retumbante:

— Ouvide! Ouvide! Ouvide! Estai atentos.,.

Há um relâmpago de silêncio. O Alferes-Mor lança a bandeira real ao vento. E com ufania, a pulmões plenos, berra para a massa:

— Real, Real, Real, pelo muito Alto e muito Poderoso Rei D. João VI, Nosso Senhor!

Que delírio! O povo desanda em gritos. Atroa no Terreiro do Paço uma algazarra bravia. Repiques de sinos sacodem o ar. As fortalezas estrondam. Fogos de artifício japonizam o céu.

Debaixo da barulheira, rindo-se, o ar de glória e festa, D. João ergue-se. E todo aquele bando suntuoso ondeia. Lá vai a caminho da Real Capela. Aí, sobre um troneto, rutilando de luzes, há uma relíquia do Santo-Lenho. El-Rei ajoelha-se. A corte inteira ajoelha-se. Sua Majestade beija a relíquia. Levanta-se. E enfim, majestosamente, senta-se no trono real, armado ao lado do altar. Rompe, no coro, a música de Marcos Portugal. Começa o "Te-Deum"...

* * *

A Capela Real abriu-se para o povo. Grossas ondadas de gente inundaram subitamente a nave. A igreja fervilhou. Não cabia dentro dela um alfinete. Todo o mundo queria ver o Rei!

Lá de cima, do alto duma tribuna, o Conde de Parati contemplava risonhamente aquele burburinho. De repente, com espanto, o cortesão deu de chofre com uma rapariga loira, muito linda, que cravava olhos sôfregos no trono. Era a Noemi, a bailarina do Teatro São João. A moça sorria. O Conde de Parati virou-se rápido: ao lado do trono, desempenado e belo, D. Pedro fitava impavidamente a moça. E, por seu turno, diante da Corte, acintoso e chocante, mandava-lhe um sorriso escandaloso. O Conde de Parati, acotovelando o Visconde de Magé, murmurou baixinho:

— Veja aquilo, Visconde!

— É a paixão, meu amigo! É a paixão que faz daquelas coisas...

E o Magé, apagando a voz, num cicio:

— Vossa Excelência já sabe o resultado desses amores, não sabe?

— O resultado desses amores? Não sei...

Rua Direita, Rio de Janeiro
Félix Taunay

— Que diz?

E misterioso, bem ao ouvido do amigo:

— Saiba, meu caro Parati, que a francesinha vai ser mãe...

O Conde de Parati olhou pasmado para o Visconde de Magé. Os seus olhos fuzilaram:

— Vossa Excelência está certo disso?

— Absolutamente certo! Contou-me o Plácido. E o Plácido, como Vossa Excelência bem sabe, é o amigo mais íntimo do príncipe...

O Conde de Parati calou-se. Aquilo era muito sério. O escândalo mais atordoante que poderia estourar aos ouvidos de D. João. É que agora, exatamente naquele momento, el-Rei tratava do casamento do filho. O Marquês de Marialva já andava pela Europa a sondar as casas reinantes. Parece que a da Áustria... Imagine-se um pouco se D. Pedro, aquele estúrdio, aquele príncipe estourado, perdido de paixão como andava, cometesse a loucura de casar-se às escondidas com a bailarina. Que complicação! E o Conde de Parati, muito apreensivo:

— Essa aventura do príncipe, meu caro Visconde, pode ter conseqüências brutais. É preciso que D. João saiba de tudo, não acha?

— É preciso! Vossa Excelência presta a el-Rei um altíssimo serviço, contando o que se passa. É um caso grave.

— Tem razão, Visconde! É um caso grave. Amanhã, el-Rei saberá de tudo...

No outro dia, ainda nos seus aposentos, D. João ouviu do Conde de Parati os pormenores das maluquices do príncipe. O Monarca arregalava os olhos, estuporado:

— Doze contos? Pois o príncipe já gastou doze contos nisso?

— Doze contos, Majestade. Dinheiro esse que pediu emprestado ao *Pilotinho.*

— Ao *Pilotinho?* O bodegueiro da Rua dos Barbonos? Mas, é incrível. Esse rapaz é um louco! Esse rapaz me mata de vergonha! Veja que papel, meu amigo! Pedir dinheiro ao *Pilotinho!* Um príncipe!

E assim, trancados nos aposentos, el-Rei e o valido conversaram longamente. Que é que decidiram? Ninguém o soube. Apenas, ao sair, o Conde de Parati afirmou:

— Vou providenciar os papéis para hoje mesmo. Amanhã, quando a corveta partir, levará os dois...

E saiu. Decerto, o Conde de Parati preparou os papéis. Pois, no dia seguinte, seriam onze horas, o íntimo de D. João apareceu no Largo do Rocio. A bailarina espantou-se imensamente:

— Vossa Excelência, Senhor Conde?

— Eu mesmo, Senhora Noemi. El-Rei mandou-me aqui para pedir que Vossa-Mercê vá comigo até o Paço.

— El-Rei?

— El-Rei...

A ordem era estranha. Havia nela qualquer coisa de mistério. Mas, que fazer? A francesinha não pôde recusar. Vestiu às pressas o seu vestido rodado, cor de pinhão, enfiou as luvas, pôs o chapeuzinho de pluma branca. E saiu saltitante, pequenina, pisando leve como um passarinho. D. João recebeu-a com afabilidade. Fez-lhe um agradinho paternal no queixo. E logo, sem mais rodeios, esfregando os dedos, com o seu riso amarelo:

— Mandei chamá-la, minha filha, para dar-lhe uma ordem. Uma ordem que é necessário ser cumprida à risca: a menina tem de retirar-se hoje mesmo da Corte...

— Eu?

— Sim, minha filha; Vossa-Mercê! Mas, eu não quero que a menina, depois dessa aventurazinha que teve com o príncipe, se vá embora ao desamparo, sem dinheiro, sem ter pessoa alguma que a ajude. Longe de mim tal coisa! Eu resolvi, por isso, que Vossa-Mercê se case. Dou-lhe para marido o tenente da minha guarda. É um rapagão bonito, um belo moço da ilha Terceira. Nomeei-o para um ofício de Pernambuco. Um ofício de primeira ordem, que rende oitocentos mil réis...

A moça ouvia aparvalhada. Aquilo esmagava-a. Não sabia o que dizer. E D. João continuava, esfregando os dedos, rindo aquele risinho amarelo, muito dele:

— Já dei ordem para que o meu Tesoureiro leve a bordo a quantia de seis contos de réis. É uma ajudazinha para o enxoval do bebê que vai nascer. Ordenei mais que entregue a Vossa-Mercê cinco contos.

Isso é uma lembrança minha: um dote para Vossa-Mercê. A Rainha, ao saber do caso, também mostrou muita simpatia pela menina. Mandou, por sua vez, que lhe desse um conto de réis. E ordenou ao guarda-jóias que lhe entregue a Vossa-Mercê um anel de ouro, com uma bonita pedra. É para Vossa-Mercê depositar esse mimo no berço do seu filhinho, no dia em que for batizado...

Noemi compreendeu tudo. Sentiu bem a inutilidade de qualquer oposição. Era baldado resistir. El-Rei podia fazer tudo o que quisesse. A bailarina viu nítida a sua catástrofe. Fincou soturnamente os olhos no chão; e as lágrimas, em fios, começaram a despencar-lhe pelas faces...

— Os papéis do casamento já estão prontos, continuou el-Rei. Vamos realizá-lo, menina.

E virando-se para o Conde de Parati:

— Chame o padre, Conde. E traga também o noivo. Estão ambos no Salão dos Despachos...

Nessa tarde, quando a corveta largou ferro, a bailarina do Teatro S. João precipitou-se como louca no seu beliche. Atirou-se entre os almofadões do leito. E aí, durante toda a noite, abafando os soluços, a rapariga chorou num desespero.

Que lua-de-mel!

* * *

D. João acabara de jantar. Comera os seus três franguinhos. Comera-os com os dedos, lambuzando-se, atirando os ossos ao chão. O infante D. Miguel correu ao aparador e trouxe a bacia com o jarro de prata. O príncipe D. Pedro ergueu o jarro, despejou a água, ofereceu a toalha ao Rei. D. João lavou-se, enxugou as mãos, fez o sinal-da-cruz. Depois, feliz e bonacheirão, enlaçou o braço no braço do Conde Parati:

— Vamos dar graças a Deus, Conde.

E partiram para o oratório.

D. Pedro, livre do protocolo, correu ansioso ao seu apartamento. Que alvoroço! O coração batia-lhe descompassado. Era o momento de partir para o Largo do Rocio...

Naquela tarde, porém, mal o príncipe entrou, o Plácido, assusta-díssimo, surgiu como um fantasma diante dele. D. Pedro estranhou aquela fúria:

— Que é isso?

— Vossa Alteza ainda não sabe?

— Você está louco, homem! Não sabe o quê?

— Vossa Alteza não sabe o que aconteceu a Noemi?

D. Pedro agarrou forte nos ombros do criado. Sacudiu-o violentamente:

— À Noemi?

— Pois Vossa Alteza não sabe? A menina partiu hoje para Per-nambuco...

— Para Pernambuco?

— Sim, Alteza. Na corveta que acaba de sair do porto. Imagine Vossa Alteza o que aconteceu: D. João obrigou a pobre rapariga a casar-se com o tenente da Guarda. Deu-lhe cinco contos de dote...

E desembuchou tudo. D. Pedro fremia. Os seus nervos estalavam. Os olhos ardiam-lhe, febrentos. Aquilo desordenara-o. Era doloroso como um punhal que lhe entrasse pelas carnes. Eis que o príncipe, no seu atordoamento, começa a tremer. De repente, sem saber como, uma nuvem passa-lhe pelos olhos. As órbitas dilatam-se-lhe. Uma súbita rigidez penetra-lhe os músculos. A boca espumeja-lhe, san-grenta. E D. Pedro desaba pesadamente no chão.

Era o ataque.

∗ ∗ ∗

Seis meses depois, em Pernambuco, morria a filha da bailarina. O General Luís do Rego, que governava a Província, ordenou para a bastardinha funerais de princesa. Houve grande luto oficial. Não se pejou o general em lançar mão de tão acintosa sabujice para ganhar o coração do herdeiro do trono. A criança foi embalsamada. Veio para o Rio. E dizem que D. Pedro, durante anos, guardou na Câmara dos Pássaros, debaixo do alçapão, o cadaverzinho adorado, relíquia fúnebre da sua grande paixão da mocidade.

**Outeiro, Praia e Igreja da Glória,
Rio de Janeiro, 1819** (detalhe)
Henry Chamberlain

O CASAMENTO DE D. LEOPOLDINA

As negociações diplomáticas terminaram com êxito: assentou-se, definitivamente, que o Príncipe D. Pedro de Bourbon e Bragança, herdeiro do trono de Portugal, do Brasil, e dos Algarves, casar-se-ia com D. Maria Leopoldina Josefa Carolina, filha de Francisco I, grande Arquiduquesa da Áustria. Faltava, apenas, solenizar o ajuste secreto dos gabinetes. Saíram do Rio, nesse sentido, ordens sérias para o Embaixador em Paris. As ordens eram de partir sem tardança para Viena: e aí, diante da corte austríaca, em nome de el-Rei pedir publicamente a mão da arquiduquesa. D. João ordenou, pelo mesmo correio, que as etiquetas dos esponsais tivessem um brilho nababesco.

A aliança com a Áustria embebedara-o de gosto. E o rei desterrado, aquele rei gordo e burguês, timbrara vaidosamente em estadear, ante a aristocracia faustosa de Viena, a grandeza da sua casa e a opulência dos seus reinos.

O Embaixador em Paris era Pedro Joaquim Vito de Menezes Coutinho, o fidalguíssimo Marquês de Marialva, um dos sangues mais nobres e mais limpos da Península. Marialva recebeu as ordens como honra suprema. Aquela missão de galantaria, envaidecedoramente elegante, vinha dourar com refulgência os seus velhos brasões, já tão famosos na história da graça e da cortesanice. O fidalgo magnífico aprestou-se com pompas régias. Circundou-se dum aparato à Buckingham. Gastou desordenadamente, como um rajá. E um dia, enfim, cercado de equipagens brilhantíssimas, sonhando aureolar o seu nome com a mais retumbante glória mundana, o Embaixador Extraordinário enfiou as suas berlindas douradas pela estrada real. E partiu estrondosamente para Viena.

EM VIENA

A ENTRADA DO MARQUÊS de Marialva fez época. Ainda não se vira, na Áustria, embaixada mais luzida e mais ribombante. Nem a de Napoleão Bonaparte, quando mandara buscar Maria Luísa, tivera riquezas tão feéricas. A Corte Imperial, para corresponder aos atroantes deslumbramentos de Marialva, ataviou-se com luxos desmedidos. Foi um reboliço, uma loucura, formidáveis requintes de elegância.

É o dia 17 de fevereiro de 1817. Um sol de ouro, estilhaçante. Alegrias derramadas em tudo. Viena esplende de louçanias. O povo coalha as ruas profusamente embandeiradas. Vai pela multidão um fremir ansioso. Todo o mundo quer ver o cortejo. De repente, no ar sonoro, retumbam clarins. Rufar de caixas. Estronda no lajedo um patear áspero de cavalos. Rompem, de todos os lados, gritos ávidos:

— É o Embaixador! É o Embaixador!

É o Embaixador Extraordinário de Portugal. É Sua Excelência, o Senhor Marquês de Marialva, que entra espaventosamente em Viena. E o séquito surge. Que galas! À frente, rompendo a marcha, vêm dezessete carruagens. Vêm tiradas a seis, escudeiro de lado a lado, librés acaireladas de ouro. São as carruagens dos príncipes e magnatas da Corte Imperial, comissionados de receber, além das portas, a embaixada do rei português. Logo após, com uma opulência de embasbacar, passa o séquito do esplendidíssimo fidalgo.

Era de vê-lo! Setenta e sete homens rutilantemente agaloados. Todos criados e pajens. Montam ginetes árabes, muito negros, que trazem arreios de prata e telizes de veludo com largas bordaduras de ouro. Rebrilham por tudo, em relevos fortes, as armas dos Marialvas. É fascinante!

Seguem-se, depois, numa clareira, dois coches dourados. Faíscam nas portinholas as armas imperiais da Áustria. Num deles, no coche de gala, senta-se gloriosamente, olimpicamente, alvo de todos os olhares, o Embaixador Extraordinário de D. João VI. Ao lado de sua excelência, em nome de Francisco I, o estribeiro-mor da Casa Imperial. No outro coche, que é mais singelo, vai o Secretário da Embaixada, aprumado e refulgente. Ao lado do Secretário, às ordens dele, um camarista do Imperador austríaco. Ao depois, vazias e graves, rodam as berlindas em que jornadeara o Marquês. Que berlindas! Que riquezas atordoantes! Vêm numa seis cavalos castanhos com arreios de prata. Vêm noutra seis cavalos brancos com arreios de ouro. Ambas levam um cocheiro, um sota, um moço de estribeira, catorze criados a pé. Tudo soberbamente equipado!

O povo freme, eletrizado. Reboam palmas. Estrondam vivas. É uma apoteose! Enfim, fechando o séquito incomparável, desfilam as carruagens do embaixador da Espanha, do embaixador da Inglaterra, do embaixador da França.

Assim, com essa pompa de príncipe oriental, deslumbrando, sob o delírio da turba, Marialva seguiu até a sede da embaixada portuguesa, onde se alojou.

No outro dia, com protocolos severíssimos, o Palácio Imperial abriu-se para receber o enviado de D. João VI. Francisco Leopoldo, na sala do trono, revestido do manto real, recebeu diante de toda a Corte o gentil-homem magnífico.

O Embaixador entra. Seguem-no equipagens rutilantes. A corte abre alas. Alto e moreno, desse belo moreno peninsular, olhos românticos e negros, Marialva, com o peito chispando de insígnias, rompe orgulhosamente por entre os palacianos. Curva-se diante do trono.

Beija a mão augusta do Imperador. Depois, solene e teatral, suplica a Francisco I, o mui alto e poderoso senhor dos Reinos da Áustria e da Hungria, em nome de D. João VI, o muito alto e poderoso senhor de Portugal, do Brasil e dos Algarves, a graça de conceder a mão da Sereníssima Arquiduquesa, Maria Leopoldina Josefa Carolina, ao Sereníssimo Príncipe D. Pedro de Bourbon e Bragança, herdeiro do trono.

Francisco I ouve. Depois, com singeleza, responde, do alto trono, que tem glória e honra em conceder a mão de sua filha ao filho do Primo e Rei.

Marialva curva-se de novo. Beija a mão do Imperador. E retira-se incontinenti do Palácio Imperial: está ajustado o casamento de D. Pedro e D. Leopoldina.

O CASAMENTO

Francisco I designara gentilmente o dia 13 de maio, aniversário de D. João VI, para a realização do casamento da filha. E enquanto, em Viena, ia uma lufa-lufa de preparativos, a notícia do ajuste, no Brasil, tinha uma repercussão ruidosa. D. João comemorou-a com festas. Decretou gala na Corte. Deu beija-mão ao corpo diplomático. As fortalezas embandeiraram-se. Salvas reais, repiques de sino, foguetório. À noite, no Teatro S. João, houve espetáculo de honra. El-Rei compareceu em pessoa. A multidão ovacionou com delírio a futura Princesa. Foi uma noite alegríssima.

Certo dia, por um paquete inglês chegado de Falmouth, desembarcou no Rio o Conde de Wrbna. Era o Mordomo-Mor do Imperador austríaco. Vinha especialmente de Viena, como mensageiro de Francisco I, trazer a D. João VI a notícia oficial de que se realizara, com grandes pompas, o casamento do Príncipe e da Arquiduquesa. E o Conde Wrbna contou, com minúcias, o que foram essas pompas. Que maravilha!

É o dia 13 de maio. Oito horas da noite. A capela do Palácio Imperial rebrilha. A corte austríaca, alvoroçada e sôfrega, acorreu garridamente à cerimônia retumbante. Há um forte dardejar de pedrarias. Branquejam decotes estonteantes. Ruge-ruge de sedas. Fuzilam insígnias nas casacas verdes. Muitas casacas verdes. O Senhor Marquês de Marialva, rodeado pelos nobres do seu séquito, atrai, como um foco, os olhares de toda a Corte. A suntuosidade do Embaixador estonteia. Ultrapassa tudo o que já se viu em Viena.

De repente, na Capela Imperial, soa uma trompa de ouro. O Reposteiro-Mor levanta a tapeçaria de veludo. Os cortesãos abrem alas respeitosas. O Imperador e a Imperatriz da Áustria entram. Trazem a noiva. D. Leopoldina vem toda de branco. Está deslumbradora! O seu vestido é um poema de rendas de Bruxelas. Faísca nele, orvalhando-o de luzes, uma pedraria imensa. Tomba-lhe da fronte, como uma cascata de espumas, a grinalda finíssima, apresilhada nos cabelos por fuzilante diadema de pedras brasileiras, mimo do noivo. A cauda tem cinco metros. Sustêm-na oito damas de honor. Todas em grande gala, fulgurantes, com enormes "balões" de seda rosa broslados de arminhos. É encantador!

Ao lado da noiva, magnífico na sua casaca preta, luvas brancas, brilhantes chispando no peitilho rendado, vem o Arquiduque Carlos. Sua Alteza representa o noivo. E ambos, sob a música aristocrática de Haydn, debaixo de pétalas de rosas, que tombam num chuveiro, encaminham-se até o altar. Então, no vasto silêncio que se fez, Sua Eminência, o Cardeal Camerlengo, assistido por quatro bispos, realiza o casamento. A grandiosidade do ato eletriza a todos. O Imperador está comovidíssimo. A Imperatriz chora.

Nessa noite, por entre júbilos fragorosos, Viena inteira iluminou-se. A cidade estrugiu debaixo da mais frenética atoarda de festa. E enquanto, nas ruas, o povo bramia de entusiasmo, lá dentro, no Palácio Imperial, festejando o acontecimento altíssimo, Francisco I, oferecia à Corte, na Sala dos Espelhos, o grande jantar de gala.

O BAILE DE MARIALVA

O Marquês de Marialva deu um baile em honra de sua Princesa. Foi um dos bailes mais culminantes da Europa. Acontecimento imorredouro nos fastos da diplomacia galante. Marialva arruinou-se com ele. Não se contentou em gastar as grossas ordens que vieram de D. João: dissipou nessa festa toda a herança que herdara do pai.

O grande fidalgo, desde a sua chegada triunfal, aturde a Corte da Áustria, então a corte mais faustosa do mundo, com as suas esbanjadas magnificências de nababo. E com uma prodigalidade torrenciosa, novo Buckingham, o embaixador derrama às mãos cheias por todo o Paço, desde Metternich até o último dos camareiros, presentes de opulentíssima suntuosidade, punhados de diamantes, soberbos fios de pérolas, pedras de toda cor, pilhas de barras de ouro.

Para o baile, esse baile nobre, gentilíssimo, em que empenhara com alma a sua reputação de homem mundano, Marialva cometeu loucuras incríveis. Verdadeiras fantasias de rei oriental! Mandou construir pavilhões riquíssimos nos jardins de Rugarten. Recheou-os de móveis italianos da Renascença. Decorou-os com tapeçarias velhíssimas, "gobelins" raros, assinados Lebrun. Cobriu-os de sedas e de damascos. Estrelejou-os de lustres de cristal. Inundou-os de quadros e de mármores. E, enfim, com aquelas grandezas de espantar, o gentil-homem abriu os seus salões para a festa única. E recebeu, na noite memorável, a corte inteira de Viena. A Duquesa de São Carlos, embaixatriz de Espanha, mulher do célebre Duque de São Carlos, amigo íntimo do rei, fez as honras da casa.

Às nove horas, ao som do hino, entraram os Imperadores. Vieram com Suas Majestades todos os Arquiduques e todas as Arquiduquesas. Vieram também o Príncipe Real da Baviera e o Duque de Saxe. Metternich, com o fardão recamado de crachás, compareceu em grande gala. Os pavilhões borborinhavam. Trançavam por eles os nomes mais altos da Áustria. Rompeu o baile a Senhora D. Leopoldina. Sua Alteza dançou uma *polonaise* com o Senhor Marquês de Marialva. Os monarcas não dançaram. Mas, Suas Majestades felicitaram rasgadamente o Embaixador pelo deslumbramento da festa. Aquilo era um conto de fadas! Metternich dizia a todo momento, alto, derramando olhos tontos por aquele faiscar:

— Mas é uma festa das mil e uma noites! É uma festa das mil e uma noites!

Marquês de Marialva
Nicolas-Antoine Taunay

D. Leopoldina
Josef Kreutzinger

* * *

Às onze horas, serviu-se a ceia. Marialva sentou-se com os Imperadores à mesa da família real. Havia quarenta talheres. E toda a baixela desse serviço, gravada com as armas dos Marialvas, era de ouro maciço. Os demais convivas espalharam-se em pequenas mesas. Foram todos — e eram mais de mil! — servidos em baixelas de prata. Os Imperadores retiraram-se às duas. O baile continuou até o amanhecer. Custou, nesses velhos tempos, mais de um milhão de florins! E Marialva, num gesto muito seu, ofereceu no dia seguinte, aos pobres de Viena, os pavilhões com todas as maravilhas que lá havia. Não retirou deles uma única alfaia.

A PARTIDA

Dias após, dentro dum coche dourado, partia D. Leopoldina para Liorne, onde a aguardavam as naus de D. João VI. Em Florença, à espera de Sua Alteza, chegara o Marquês de Castelo Melhor, vindo especialmente do Brasil para receber a noiva. Também já lá estavam o Príncipe de Metternich e o Marquês de Marialva. O Grão-Duque de Toscana, cunhado de D. Leopoldina, recebeu-a com grandes brilhos. Hospedou-a no Palácio Pitti. E nessa mesma noite, no salão nobre do velho Palácio, o Grão-Duque reuniu a Corte numa solenidade de gala. E aí, com muitos ritos, entregou protocolarmente a Arquiduquesa, em nome de Francisco I, ao Marquês de Castelo Melhor, o enviado de D. João VI.

A comitiva, luzida e bela, partiu na manhã seguinte para Liorne. No porto, muito airosa, ancorava a nau "D. João VI" que devia conduzir Sua Alteza ao Brasil. D. Leopoldina embarcou. Acompanhavam-na o Marquês de Castelo Melhor, o Conde de Louzã e o Conde Penafiel. A princesa escolheu como camareiras, para servirem-na, a Condessa de Huembourg, a Condessa de Berentheim, a Condessa de London, todas damas da Corte austríaca. Comboiava a nau "D. João VI" uma corveta de guerra. Era a

"São Sebastião". Vinha nela o Conde de Eltzi, como Embaixador Extraordinário de Francisco I, escudando a Princesa até a América.

* * *

Assim, na Áustria, realizou-se um dos mais estrondosos casamentos que já viu o mundo. Mas, o brilho espaventoso das festas não se apagou em Viena. Repercutiu também no Brasil. Que é que fez a Corte do Rio para receber a mulher do Príncipe herdeiro?

II
A CHEGADA

Do Arsenal de Marinha, vistosamente embandeirado, parte a galeota do rei. Vai nela a Família Real. D. João VI viera com o fato novo de pano inglês e a grossa bengala de castão de ouro. D. Carlota pusera o vestido rodado, cor de pérola, e o seu famoso trepa-moleque de safiras. D. Pedro embarcara, fremindo. Os seus olhos fuzilavam. O coração batia-lhe aos saltos.

E a galeota, com seus bigodões de espuma, fura a ondada mole, rumo dos barcos que entram. Estaca. Na nau "D. João VI", com os seus uniformes de veludo e prata, os marinheiros estendem-se em continência. Tomba a escadinha de bordo. Rompe o hino. E D. Leopoldina, varando a ponte, surge ante os olhos da Família Real. Sua Alteza vem acompanhada pelo Marquês de Castelo Melhor. Desce com majestade do tombadilho. Salta airosamente para dentro da galeota. E ali, na baía azul, sob o céu brasileiro, D. Leopoldina precipita-se aos pés dos soberanos. D. João ergue-a carinhosamente. Beija-a na testa:

— Minha filha!

D. Carlota toma-a nos braços. Aperta-a. Beija-a longamente. Depois... Depois é o momento curioso. Nada mais galante. D. João, com um gesto, apresenta D. Leopoldina a D. Pedro:

— Minha princesa, eis aí o seu príncipe!

Os dois fitam-se. Sorriem. E na galeota, sob a curiosidade brejeira dos tripulantes, o príncipe e a princesa beijam-se na face. D. Pedro é moço formoso. Com os seus dezoito anos, sadio e desempenado, com o seu moreno tropical, os seus olhos negros e enormes, o príncipe é um galhardo tipo de homem, um mancebo varonil e sedutor. D. Leopoldina devora-o com os olhos. Toda ela ri! E afagando a mão do noivo, com ternura:

— *Mein liebling!*

E D. Pedro, radiante, num enlevo:

— Minha princesa!

Na galeota, com grandes ansiedades, esvoaçam logo as perguntas. E a travessia? E a saúde? E a nau? D. Leopoldina responde. E sorri. E papagueia. Sua Alteza fala em francês. Às vezes por mera caçoada, tenta um português cômico;

— "Prrazil mui linda! Mui linda"!

E aponta as montanhas, a baía crespa, o céu, todas as embebedantes maravilhas do Rio. Durante meia hora, foi um grulhar amistoso. A galeota encheu-se dum alvoroço quente. Uma alegria! E assim, dadas as boas-vindas, combinou-se o desembarque para o dia seguinte. D. João marcou a hora. E D. Leopoldina ergueu-se. Beijou a el-Rei. Tornou para a nau. D. Carlota e D. Pedro acompanharam-na até o tombadilho.

OS ENFEITES E OS ARCOS

D. João alindou a sua cidadezinha com atavios de gala. Enfeitou tudo com garridices vistosas. O pobre Rei timbrou em receber a nora com luzimentos únicos. No cais, em frente ao Arsenal de Marinha fez construir uma vasta ponte de madeira que avançava pelo mar. A princesa poderia desembarcar ali com mais comodidade. Alcatifou-se a ponte com tapetes caríssimos. Cobriram-se os corrimãos de panos de Arrás. Ergueu-se, logo à entrada, um pavilhão soberbo, muito berrante, onde se viam, em cores fortes, as armas de Portugal e da

Áustria. Quatro águias enormes seguravam nos bicos festões de folhagem que tombavam baloiçantes. Por toda parte, onde devia passar o séquito, houve um esbanjar de aprestos. Areia branca, folhas esparzidas, pétalas de rosa por todo o chão. Os monges de S. Bento alegraram de sedas ruidosas as fachadas do seu mosteiro. Não houve casa, no itinerário, que não se enfaceirasse. Eram colchas da Índia, tapeçarias nas varandas, cortinas, veludos colgados à parede. Um esplendor! Na Rua Direita, deslumbrando, ergueram-se três arcos. Foram a grande maravilha decorativa. A maior suntuosidade dos festejos. Os jornais falaram deles com louvores rasgados. Um, o "Arco Romano", era oferecido pelo Comércio. Fora concebido e realizado por Grandjean de Montigny e por Debret, os dois grandes artistas que o Conde da Barca mandara vir da França. Era um arco magnífico, com cinqüenta palmos de altura, sustentado por oito colunas dóricas, tendo no pedestal os símbolos do Rio de Janeiro e do Danúbio. Um trazia as quinas e castelos de Portugal; outro, as águias imperiais. Sobre cada um a legenda: "Januarius" — "Danubius". Havia baixos-relevos de grande efeito. Dum lado, a Europa e a Fama: uma tocava a trombeta; outra depositava sobre um altar as iniciais em ouro dos noivos: P. L. Por baixo, também em ouro, fulgia a inscrição típica: "À feliz união, o Comércio".

Mais além, na esquina da Rua do Sabão, o segundo arco. Era tão alto como o de Montigny. Fora risco de Luís Xavier Pereira, maquinista do Real Teatro. Destacava-se nele, lá acima, a figura do Himeneu, circundada pelas figuras da Glória e da Fama. No meio, um medalhão; e no medalhão, em relevo, os retratos de D. Pedro e D. Leopoldina. No pedestal, em alegorias coloridíssimas, a Europa, a Ásia, a África e a América.

Enfim, em frente à Igreja da Cruz, o último arco. Era um "Triunfo romano". Oito estandartes fincados em terra recobertos de grinaldas e flores. Palmas por toda parte. Em vez da águia romana, a águia austríaca de duas cabeças. Em vez do busto dum general conquistador, o busto em bronze da princesa. Em vez do nome de batalhas ganhas, o rol das virtudes e graças de D. Leopoldina: "Bondade" — "Amabilidade" — "Doçura" — "Sensibilidade" — "Beneficência" — "Constância" — "Espírito" — "Talento" — "Ciência" — "Encantos" — "Graça" — "Modéstia".

O DESEMBARQUE

ONZE HORAS. DIA GLORIOSO. Um sol de ouro redourando tudo. Do Paço da Cidade, aos sons de caixas e de clarins, D. Carlota Joaquina toca para o cais em grande estado. No cais, já na galeota real, D. João VI espera a Rainha e as Princesas. Sua Majestade viera por mar da Quinta da Boa Vista. E a galeota, sem mais tardança, zarpa rumo da nau "D. João VI". Centenas de escaleres engaivotam o mar. Toda a corte parte na espumarada de el-Rei. É um belo torvelinho de damas e de titulares. Balões de seda rosa e casacas de riço em verde. E tudo alegre, fascinante! O cais embandeirado, as naus embandeiradas, os escaleres embandeirados. E salvas nas fortalezas, e repiques de sino, e estrondo de morteiros, e rojões, e músicas atroando os ares. Lindo! A galeota fundeia. Os marinheiros, no tombadilho, fazem continência em honra do Rei. E logo, conduzida pelo braço cortesão do Marquês de Castelo Melhor, D. Leopoldina desce a escadinha de bordo. E desce encantadora, garridíssima. O mesmo vestido branco de rendas de Bruxelas. O mesmo diadema de pedras. A mesma grinalda tombando-lhe, como uma cascata de espumas. Acompanham-na o Conde de Penafiel e o Conde de Louzã, veadores de Sua Alteza. Depois, em vastos decotes, as Damas austríacas que acompanharam a Sua Alteza. E D. Leopoldina entra na galeota. Os reis recebem-na com efusão. Beijam-na na testa. O Príncipe beija-a na face. As Princesas beijam-na.

D. João, nesse instante, abre uma caixa de xarão que o guarda-jóias trouxera. Toma dum colar de pérolas. É magnífico. Tem quatrocentas pérolas. E cavalheiresco, todo num sorriso, enrodilha-o no pescoço da nora. D. Carlota, por sua vez, enroda-lhe nos braços duas pulseiras de safiras imensas. São safiras incomparáveis, as maiores do

DESEMBARQUE DE
D. LEOPOLDINA NO BRASIL
Debret

Brasil. D. Miguel oferece-lhe uma afogadeira de rubis. D. Maria Teresa um trepa-moleque de brilhantes. D. Maria Francisca uma colossal borboleta cravejada. Todas as infantas trazem o seu mimo. É uma profusão de riquezas. D. Leopoldina a cada jóia, sorri encantada:

— Oh! oh!

D. Pedro enfia-lhe no dedo um anel opulentíssimo. Há nele uma pedra de dez quilates, azul-querosene. Depois, galantemente, adorna-lhe os cabelos com um diadema de pedrarias. E entrega-lhe, enfim, uma caixa de ouro muito lavrada. D. João, vendo a Princesa abrir a caixa explica modestamente:

— Estão aí dentro, minha filha, os frutos da terra. Este é o país dos diamantes.

A caixa estava atulhada de diamantes brasileiros.

O veador de el-Rei, nesse instante, faz um sinal ao mestre da galeota. Os marinheiros, a um só tempo, batem os remos na água. A embarcação voa. E uns instantes depois, debaixo dum sol de ouro, sob a alegria frenética dos campanários, D. Leopoldina pisa a terra do Brasil.

Um séquito único, brilhantíssimo, como nunca mais se viu no Brasil, acompanhou os noivos até a Capela Real. Não o descreva eu, para não me acoimarem de imaginativo. Descreva-o esse tão saboroso cronista, o Padre Luís Gonçalves dos Santos, testemunha presencial da festa. Lá diz o padre nas suas "Memórias":

O SÉQUITO

"VINHA ADIANTE UMA partida de Batedores. Seguião-se quatro Moços a cavallo, e os Azemeis cobertos de veludos carmezim. Logo depois os Timbaleiros com atabales. Todos a cavalo, agaloados de ouro, coletes azues agaloados de prata. Seguião-se immediatamente oito Porteiros da Cana. Os dois dianteiros com canas, os mais com maças de prata ao hombro. Vinhão vestidos de casacas pretas com capas da mesma côr. E tudo era de seda. Atraz delles, vinhão os Reis d'Armas,

AS MALUQUICES DO IMPERADOR

Arautos, e Passavantes, vestidos com armaduras de seda ricamente bordadas. Marchava em um soberbo Cavallo o Corregedor do Crime da Côrte. Trazia a beca, a vara alçada, o chapéo de plumas na mão. Acompanhavão-no dous Criados da Casa Real a pé. Após do Corregedor seguindo-se noventa e tres carruagens, todas de quatro rodas, puxadas a dous e a quatro. As primeiras conduziam os do Conselho d'Estado, as últimas os Bispos e Grandes do Reino. Levava cada huma dous Criados á portinhola, muito bem fardados, segundo a variedade das librés dos seus Amos, trazendo todos plumas brancas nos chapeos, que levavão nas mãos. Esta extensa fila de carroagens, todas mui aceadas, e ricas, puxadas por soberbos machos enfeitados com plumas *e* fitas, por longo espaço de tempo entreteve com prazer os espectadores pela sua brilhante vista. Mas o que era Estado da Casa Real, isto sim, surpreendia pela sua grandeza e magnificencia. Estadeou-se nesta Côrte pela primeira vez, com todo o esplendor. Vinhão tres coches da Casa Real. O primeiro levava os Guarda-Roupas; e os outros os Estribeiros Móres, os Mordomos Móres, o Camarista, os Viadores. Cada hum destes coches era puchado a seis, acompanhados de quatro Criados a pé. O que occupava o ultimo lugar tinha mais dous Moços da Estribeira ao lado das portinholas. Seguia-se o Tenente da Guarda Real e o Estribeiro Menor, ambos a cavallo, cada hum assistido de dous criados a pé.

Via-se então o coche de el-Rei. Era forrado de veludo carmezim. Este a todos sobrepujava em riqueza e magnificencia. Era tirado por oito formosissimos cavallos com arreios de veludo e ouro. De cada lado tinha huma ala de Moços da Camara a pé, e descobertos. Pela parte de fóra destes, hião os Archeiros com as suas alabardas; e mais por fora ainda, quatro Moços de Estribeira ricamente fardados. Ao pé do Real coche, de cada lado, hião a cavallo dous Ferradores com pastas. Junto de cada cavallo hum Criado a pé.

Neste riquissimo coche conduzião Suas Majestades a Serenissima Senhora Princeza Real, que vinha assentada á frente ao lado do Augusto Esposo. Sua Alteza Real vinha riquissimamente vestida de seda branca, bordada de prata e ouro, e riquissimamente ornada de brilhantes; hum finissimo véo de seda branca, que da cabeça pendia sobre o rosto realçava a belleza do seu Real semblante. Em seguida, noutro soberbo coche, forrado de veludo verde, vinhão o Serenissimo Senhor Infante D. Miguel e as Serenissimas Senhoras Princezas. Em outro, igualmente soberbo, o qual era forrado de seda ouro, vinhão a Serenissima Princeza, e as Infantas. Immediato ao coche de Suas Magestades trotava o Capitão da Guarda Real, o Excellentissimo Marquez de Bellas, seguido de varios Criados a pé. Seguia-se atrás o magnífico coche do Estado, puxado a oito, com oito Criados a pé. E fechavam este pomposissimo acompanhamento os coches das Camareiras Móres, das Donas de Honor, das Damas Açafatas. Hia ao lado do coche das Damas hum Moço de Camara, a cavallo, servindo de Guarda-Damas, acompanhado de hum Criado a pé com telis encarnado no braço.

Ao passar Suas Magestades e Altezas Reaes por baixo do primeiro arco, fronteiro ao Arsenal, dous lindos Meninos, ricamente vestidos, que estavam em pé sôbre os pedestaes das columnas, hum com os emblemas do Amor, outro do Himeneo, apresentaram a Suas Altezas Reaes huma grande corôa de flores artificiaes, delicadamente dobradas. Esta corôa, no momento da passagem, desceu da abobada do arco, donde estava suspensa: ao mesmo tempo, sobre o Real Coche, esparziram-se nuvens de flores naturaes. Parou depois o coche por baixo do segundo arco. Nesse instante voaram grandes volutas de aromas, que se queimavam em dois vasos, ao mesmo tempo que cahiam chuveiros de flores da abobada, das varandas, e das janellas das casas vizinhas. Penetrou depois o Real Coche, por entre as verdes palmas do terceiro monumento, sob vivas e aplausos que nunca mais cessaram até a Real Capella, onde chegou o coche. Seriam tres horas da tarde.

Por entre mil vivas e applausos, descerão do coche Suas Magestades e o Serenissimo Senhor Principe Real, que immediatamente deo o braço para descer sua Augusta Esposa. Apearam-se dos seus respectivos coches o Serenissimo Senhor Infante D. Miguel e as Serenissimas Senhoras Princezas e Infantas. Assim entrou El-Rei Nosso Senhor, com toda Real Família, para dentro da Egreja. Seguiram-n'o a Côrte, os Bispos, a Nobreza, o Senado da Camara. Rompeu immediatamente a grande orchestra da Real Capella Mór, onde havia hum riquissimo Solio de lustrina de ouro encarnado. Debaixo do docel estavão dez cadeiras, nas quaes El-Rei, e as mais Pessoas Reaes se sentarão. Entretanto o Bispo, Capellão Mór, subiu ao seu Solio, e o Cabido tomou logar na quadratura. Feito hum breve repouso, o Mestre de Ceremonias deo o signal. Levantaram-se todos. O Serenissimo Senhor Infante toma pela mão o Serenissimo Senhor Principe Real. A Rainha Nossa Senhora pegou na mão da Serenissima Senhora Princeza Real. E forão apresentar os Augustos Desposados ao Bispo para lhes lançar as Bençãos Nupiciaes. Puzerão-se então Suas Altezas Reaes de joelhos sobre almofadas, diante do Altar. E Sua Excellencia deo as Bençōes em canto festivo."

* * *

Assim, com essas pompas incríveis, casou-se aquela que foi a nossa primeira imperatriz. Assim, casou-se aquela que foi a mais humilhada das mulheres e, talvez, a mais desgraçada de quantas já se sentaram em trono.

Desembarque de D. Leopoldina no Brasil
Debret

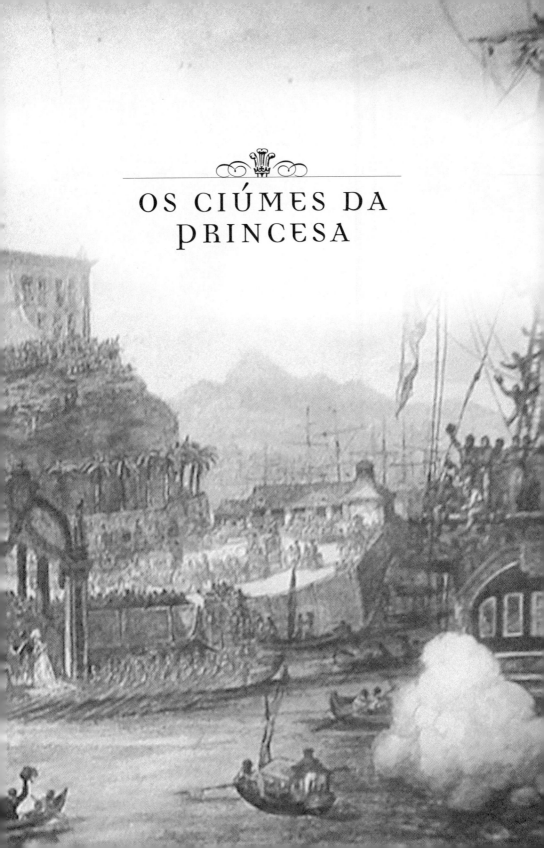

OS CIÚMES DA PRINCESA

D. Leopoldina e os filhos em 1826
Georgina de Albuquerque

Na chácara do Cauper, à Rua Conde da Cunha, o Príncipe D. Pedro acabara de almoçar. Era todos os dias a mesma coisa. D. Pedro vinha sentar-se à mesa, pedia o almoço. O Cauper, de pé, servia a sua Alteza. As filhas do Cauper, também de pé, assistiam honradíssimas ao comer do herdeiro do trono. E D. Pedro, moço democrático, inteiramente sem protocolos, jovializava a mesa com a irrequieta folgazanice dos seus dezoito anos. O almoço corria sempre alegre. Ferviam as futilidades. D. Pedro bisbilhotava tudo. Indagava dos mexericos. Punha-se ao corrente dos escândalos sociais, das festas, dos namoros que houve na serenata em casa do Marquês de Santo Amaro. E tudo entremeado de muito mimo e de muita galantaria sem nenhuma intenção. Tudo ingênuo. Tudo sem malícia.

O Cauper — Pedro José Cauper — era o guarda-roupa do príncipe. Foi o último guarda-roupa da solteirice de D. Pedro. Não havia nesses tempos problema mais difícil do que descobrir um palaciano que calhasse para tal cargo. Se o homem era sisudo e grave, pessoa de bons conselhos, D. Pedro embirrava-se logo, metia-se a descompô-lo, armava ao pobre-diabo toda a casta de diabruras e de perversidades. Se o homem era peralta e folião, D. Pedro, de parceria com ele, botava-se a fazer estroinices, patuscadas incríveis, ceatas no *Botequim da Corneta*, mil proezas que, ao reboarem em S. Cristóvão, arrepiavam o pacato e burguesíssimo D. João VI. Ao sair de Lisboa — D. Pedro tinha apenas seis anos — veio como guarda-roupa de sua Alteza aquele pachorrento Marco Antônio Montaury, "homem probo, mas incapaz de uma advertência ao príncipe". Este Montaury morreu no Brasil. Sucedeu-lhe no alto e honrosíssimo posto o seu irmão, João Martinho Montaury. Este também, logo depois falecia no Rio de Janeiro. Entrou então para o serviço do príncipe Manuel Francisco de Barros, o filho do Visconde de Santarém. "Este guarda-roupa era mui sério e grave (lá diz o cronista) e por isso D. Pedro não gostava dele e nem Manuel Francisco gostava do comportamento do príncipe." O herdeiro do trono teve horror ao seu camarista. Foram tão incompatíveis, tão encontrados em tudo, que D. João tirou o ofício a Manuel Francisco e mandou-o para a Europa. Galardoou, porém, os seus préstimos, nomeando-o embaixador. Manuel Francisco brilhou então na diplomacia e brilhou nas letras.

Seguiu-se no emprego Joaquim Valentim de Sousa Lobato. Este já ocupava o cargo de guarda-roupa do próprio Rei. Era irmão dos Lobatos. Dos homens mais afortunados no tempo de D. João VI. Daqueles que abiscoitaram os empregos mais lucrativos da época. Tanto, e de tal forma, que no Rio se tornou expressão corrente:

— "Fulano é um sujeito muito feliz. É feliz como os Lobatos!"

Este Joaquim Valentim era um cortesão desbragado de modos, costumes soltos, escandaloso. Fez com D. Pedro todas as peraltices imagináveis. Tinha tais condescendências com o príncipe, tão despudoradas, que, no dizer horrorizado e pitoresco do cronista, "chegava a ponto de levá-lo à casa das moças!" D. João, ao saber das inconveniências de Sousa Lobato, também lhe tirou o ofício. Foi então que chamou Pedro José Cauper e nomeou-o guarda-roupa.

O Cauper era homem excelente, casado, mas pouco cioso da reputação da sua casa. O povo murmurava dele. E murmurava com razão. Cauper tinha filhas solteiras e bonitas. Deixaram fama, no Rio, de raparigas lindíssimas. Era natural que Cauper, nesses tempos de impiedosa maledicência, zelasse ferozmente pela reputação delas. Mas qual! O guarda-roupa recebia o príncipe todos os dias em sua casa. E obrigava, todos os dias, as filhas a fazerem companhia ao moço Bragança. E era certo, depois do almoço, D. Pedro virar-se com singeleza para o Cauper:

— Oh, Cauper! Fica-te por aí: eu vou me divertir um bocado com as tuas filhas...

E lá se ia. Às vezes, metia-se no bilhar. Outras vezes, punha-se a jogar gamão. E no mais das vezes, quase sempre, saía a passear com as moças pela chácara. Não passava disso. Tudo ingênuo. Tudo sem malícia. Mas era chocante! A nomeada do príncipe fora sempre tenebrosa. Todo o mundo sabia que D. Pedro era um atrevido. Um grandíssimo maroto que não respeitava sequer as famílias. Nada mais lógico, portanto, que a freqüência do rapaz conquistador em casa onde havia moças belas e solteiras desse muito o que falar às más línguas. E o povo falava sem dó. Diziam-se coisas crespas...

Por esse tempo, na Corte, andava uma lufa-lufa. Fervia um rodopio de preparativos. Esperava-se a todo o instante a chegada de D. Leopoldina, arquiduquesa da Áustria, noiva de D. Pedro. A nau "D. João VI", que se redourara nos estaleiros, já havia partido para Liorne com o fim único de trazer a escolhida do herdeiro do trono. E como partira linda a nau! Novinha, toda alcatifada, muita seda, os marinheiros agaloados de veludo e prata.

Foi num daqueles dias, terminado o almoço, que D. Pedro falou comovido:

— Hoje é o dia das despedidas, Cauper; amanhã, fundeia no porto a "D. João VI", que vem aí com a minha noiva. E eu, ao depois, não poderei cá vir todos os dias como agora venho.

— Pena é, Senhor D. Pedro, tornou o Cauper, consternado; e pena grande! Vossa Alteza honra tanto a nossa casa...

Caiu um silêncio embaraçante. Mas, o príncipe, que não suportava mágoas, quebrou logo o silêncio dorido:

— Não falemos mais nisso... Tristezas não pagam dívidas. Oh, Cauper, fica-te um instante por aí; eu vou me divertir um bocado com as tuas filhas...

E saiu a passear com as moças pela chácara.

D. Leopoldina chegou. O Brasil inteiro desentorpeceu-se com o ribombo das festas. Que alvoroço! Revolucionou tudo. Saíram das velhas arcas mil tafularias de gala. A corte cobriu-se de louçanias. Ferreteava toda a gente uma grande ânsia por conhecer a futura imperatriz. Mas... que decepção! D. Leopoldina era feia. Ruiva e gorda, lábios grossos, olhos esverdeados, a princesa encarnava em si o tipo clássico dos Habsburgos. Não tinha elegância e não tinha graça. D. Pedro, como ninguém, sentiu o desfulgor da mulher. Aquilo gelou-o.

Nada mais explicável, nada mais humano, do que esse desapontamento do príncipe. D. Pedro havia deixado os braços da Noemi, a bailarina do Teatro São João, essa francesinha endoidecedora que enchera os seus dezessete anos com o mais picaresco romance de amor. O coração ainda sangrava-lhe. O moço boêmio ainda sofria perdidamente de paixão. E eis que nesse momento, ainda na dor que curtia, surge-lhe a mulher. Surge-lhe uma criatura sem encantos e sem feitiços, D. Leopoldina era feia! E por isso, só por isso, a filha de Francisco I não teve nunca a boa fortuna de seduzir o coração do príncipe. Não pôde nunca cicatrizar a ferida rasgada impiedosamente naquela alma de namorado.

D. Pedro, desde o momento em que viu a esposa, compreendeu nítido o abismo que foi intransponível. Dia a dia, quanto mais íntima se tornava a vida conjugal, mais fundamente se acentuava a incompatibilidade daqueles dois gênios.

O príncipe foi sempre, em toda a sua existência, um louco por mulheres. Foi o seu fraco. O traço culminante do seu caráter. D. Pedro amou furiosamente na vida. Amou quando príncipe. Amou quando imperador. Amou quando rei no exílio. E amou com todos os desbragamentos da sua índole de fogo. Mas, por ironia, D. Pedro só não amou

D. Leopoldina
Debret

a esposa. Por quê? É que D. Leopoldina não foi hábil. Não teve a astúcia de se fazer amar: preocupou-se muito pouco em ser mulher. Desleixou sempre a arte de seduzir pela graça. Não cuidou nunca desses pequeninos nadas de toucador, essas frioleiras encantadoras com que as "coquetes" tecem a rede dourada de caçar os homens. D. Leopoldina nunca se enfeitou. Nunca teve paixão por vestidos. Nunca mostrou capricho por um perfume. Nunca pôs uma flor na trança. Nunca se carminou. Nunca se frisou. Aparecia sempre com umas roupas muito amplas, o corpo muito largado, os cabelos muito corridos, sem colete, os seios balouçando. Todos os contemporâneos, afora Carlos Seidler, pintam-na assim. Jacques Arago, que a viu muitas vezes, descreve-a num flagrante: "point de collier, point de pierres aux oreilles, pas une bague aux doigts. La camisole attestait un grand usage; la jupe était fripée...". E a baronesa de Fisson de Montet, dama da corte austríaca: "l'archiduchesse Leopoldine n'était pas jolie; elle n' avait ni grace, ni tournure, ayant toujours eu l'aversion des corsets et des ceintures, etc.".

Além desse feitio negligente, tinha ainda a princesa uma paixão que mais a distanciava do marido; gostava loucamente de livros. Foi uma estudiosa tremenda. Adorava as ciências naturais e positivas. Ficou célebre o seu entranhamento por matemática e por botânica. Encerrava-se dias e dias nos seus aposentos devorando Keppler. Passava dias e dias empalhando sagüis ou catalogando flores exóticas. Foi ela quem trouxe da Áustria os dois famosos sábios Spix e Martius, que tão altos serviços prestaram à fauna e à flora tropicais. Ora, contrastando com a mulher, D. Pedro era um ignorantão. O que deixou nosso primeiro imperador como amostra das suas humanidades envergonha a gente. As suas cartas arrepiam. Um ginasial, hoje, ri-se da pasmosa incultura do Bragança. Nunca se preocupou com livros, e, muito menos, com Kepplers e sagüis empalhados. Ele mesmo, ao mandar educar o filho, o nosso grande Pedro II, dizia com chiste e bom humor:

— Este há de aprender, garanto! Não há de ficar como o pai. Porque eu, e o mano Miguel, se Deus quiser, havemos de ser os últimos ignorantes da família...

D. Pedro, portanto, não tolerava livros. Preferia descer às cavalariças e ir ferrar, ele próprio, os seus cavalos. Aí, estava à sua vontade. Apertava a mão dos picadores, igualava-se a eles, discutia, montava em potros bravos. Uma verdadeira paixão! Ora, dada essa diversidade de gostos, era evidente que o príncipe não achasse na mulher a mulher sonhada. E foi um infeliz. A vida de ambos, portas adentro, tornou-se um pungente desfiar de rusgas. D. Pedro esfriou logo.

E essa frieza veio à tona sem tardar. Mal findaram os festejos, quinze dias após a chegada, já D. Pedro se enfarava da lua-de-mel. E para desenfastiar-se, reprimindo a custo os bocejos, D. Pedro pensou logo no Cauper. Certo dia, com espanto de toda corte, o príncipe levou a princesa almoçar em casa do seu guarda-roupa. O palaciano e as filhas receberam suas altezas com júbilos irreprimíveis. Foi uma festa! Um renascimento! D. Pedro tinha a mesma jovialidade de solteiro. A mesma alegria, a mesma folgazanice, a mesma simpleza. Ao terminar o almoço, com a sem-cerimônia dos velhos tempos, D. Pedro lá foi bradando:

— Oh, Cauper, fica-te por aí com a princesa; eu vou me divertir um bocado com as tuas filhas.

E saiu com as meninas pela chácara. Evidentemente, não passava disso. Tudo ingênuo. Tudo sem malícia. D. Leopoldina, porém, não gostou. Mordeu o lábio; achou estranho. Mas, não deixou escapar palavra.

E começou, na chácara do Cauper, a mesma freqüência de antes. Era todos os dias a velha coisa. D. Pedro vinha, trazia a princesa, almoçava. E depois do almoço:

— Oh, Cauper...

E saía com as moças. Mas, não passava disso. Tudo ingênuo. Tudo sem malícia.

* * *

Aquela assiduidade ao Cauper, aqueles passeios pela chácara, aqueles mimos e galantarias para com as moças, foram um espinho na alma da princesa. D. Leopoldina começou a sofrer. O ciúme, o tal "green ey'd monster" de Shakespeare, cravou-lhe a primeira mordida no coração. Tornou-se-lhe um suplício acompanhar o marido ao almoço dos Caupers. Aquilo doía-lhe. Aquilo infernizava-lhe a lua-de-mel. E D. Leopoldina não se conteve. Certa manhã, ainda nos seus aposentos, D. João recebeu a visita da nora. A princesa vinha nervosa, estranhamente inquieta. Entrou. Atirou-se aos pés do monarca, soluçando. El-Rei ergueu-a carinhosamente. E condoído, muito solícito:

— Que há, minha filha? Que há?

D. Leopoldina contou-lhe tudo. Os almoços, as intimidades, os passeios pela chácara, o estribilho de todos os dias:

— Oh, Cauper, fica-te por aí com a princesa: eu vou me divertir um bocado com as tuas filhas...

D. João ouviu. Consolou ternamente a desesperada austríaca. Fez-lhe um agradozinho no queixo:

— Eu sei de tudo, minha filha! De tudo! O Sousa Lobato já me pôs a par dessas leviandades do Pedro. Aquele rapaz é assim mesmo, minha filha: um desmiolado! Mas deixa o caso por minha conta. Eu serei por ti.

Beijou a nora, fez-lhe outro agradozinho, mandou chamar ali mesmo o Visconde de Parati, o valido, a fim de resolverem aquele caso de família.

* * *

Dias depois, na corte, arrebentou uma notícia palpitante. Uma notícia inesperada, ruidosíssima: o Cauper fora agraciado com um ofício em Lisboa! Um ofício ótimo, dos melhores do Reino, que rendia a bagatela de dezoito mil cruzados! Além do ofício, como alta prova da confiança real, levava o guarda-roupa a missão de transmitir ao governo português ordens e instruções secretas do rei.

Tornar a Portugal! Por esse tempo, no Rio, o mais acarinhante desejo da corte era voltar para o Reino. Ninguém se acostumava no

AS MALUQUICES DO IMPERADOR

Brasil. Os fidalgos detestavam aquela vida sensaborona, colonial, numa cidadezinha suja, tristíssima, cheia de negros e de mosquitos. Ficar com el-Rei era sacrifício. Era um morrer de tédio. Um suicidar-se. Eis porque, na corte, ao arrebentar a notícia do embarque do Cauper, não houve cortesão que não suspirasse, invejoso:

— Ora, vede o Cauper! Não há como ser valido do príncipe... Que felizardo! É feliz como os Lobatos...

Enfim, numa corveta inglesa, embarcou para o Reino o guarda-roupa do príncipe. D. Pedro e D. Leopoldina foram a bordo levar aos amigos o abraço de despedida. O Cauper estava chocadíssimo. Ao dizer adeus, então, desenrolou-se uma cena tocante. O guarda-roupa chorava. As moças choravam. D. Pedro chorava. D. Leopoldina chorava... Foi um mar de lágrimas.

* * *

Nessa noite, depois do terço, no oratório, D. João perguntou baixinho à nora:

— Está contente, minha filha?

E a princesa, com um súbito clarão nos olhos:

— Contentíssima!

E beijou, agradecida, a mão do rei.

UM NOBRE BRASILEIRO
BEIJANDO A MÃO DE PEDRO I
Debret

PLÁCIDO PEREIRA DE ABREU

— *P*LÁCIDO!

O favorito, que lia na antecâmara, acudiu imediatamente ao chamado do amo:

— Majestade!
— É hoje o aniversário da filha do Inhambupe?
— É, Majestade. A moça completa hoje vinte anos...
— E a que horas é a festa?
— Às duas, Majestade. O Marquês de Inhambupe não dá saraus à noite. O pobre homem anda muito atacado da gota. A filha, à vista disso, oferece uma simples merenda aos amigos.

D. Pedro, ouvindo, abriu o seu velho contador de jacarandá negro. Agarrou numa caixa de veludo, muito donairosa, enfeitada gentilmente por um laçarote de fita. E virando-se para o favorito:

— Toma lá este mimo, Plácido. É um bracelete cravejado. Leva-o de minha parte à filha do Inhambupe.

O Plácido sorriu. E D. Pedro, com o seu bom humor inextinguível, batendo maliciosamente nos ombros do criado:

— É bonita aquela rapariga, hein, Plácido?

E o Plácido, um tanto embaraçado:

— É linda...

— Aquilo é que é mulher, oh! Plácido: tu não achas?

E o criado confuso, com um sorriso amarelo:

— É uma rapariga e tanto! Mas...

— Mas o quê? tornava D. Pedro irrequieto; vamos lá: mas o quê?

— Mas é um perigo essa aventura de Vossa Majestade, afoitava o valido com ares de prudência; a moça é solteira. A moça é filha do Inhambupe. O Marquês, além de homem probo, é ministro de Vossa Majestade. Tudo isso são coisas graves. Coisas de se ponderar. Vossa Majestade, portanto, precisa ter cautela. Muita cautela! Senão vem por aí um escândalo dos diabos...

E D. Pedro, sempre estourado:

— Qual escândalo, qual nada! Não arrebenta coisa alguma. Depois, meu caro, o Marquês é como os outros. Um adulador! É o ministro mais adulador que eu já tive. O Marquês não me assusta. É deixá-lo... Trata, pois, de tecer a coisa, oh! Plácido, e larga o resto por minha conta. Leva hoje, de minha parte, este presente à moça...

D. Pedro, ultimamente, encaprichara-se amalucadamente pela rapariga. Raro o dia em que Sua Majestade não galanteasse a filha do seu ministro.

Era sempre um recadinho amável, uma caixa de confeitos, uma prenda. O Plácido trançava dum lado para outro. Fizera-se o leva-e-traz daquele namorisco. E vinha sempre com mil coisas. Que a moça delirara! Que a moça estava louca por D. Pedro! Que a história ia às mil maravilhas! O Imperador, no entanto, retrucava sempre:

— Mas é curioso, seu Plácido: ela não dá amostra. Nem um sorriso, nem um olhar, nem uma palavra mais denunciativa...

E o Plácido:

— Está claro, Senhor D. Pedro! Haverá nada mais melindroso do que isso? A moça tem lábias. Porta-se assim por manha: não quer que o caso dê na vista... E é natural. Pode lá a moça gostar que falem dela? Mas fique Vossa Majestade tranqüilo: vai tudo muito bem: muitíssimo bem!

D. Pedro aceitava. E todo dia, com mais afinco um galanteio tentador.

Agora, no aniversário, era aquele bracelete cravejado. Um escândalo!

Mas, o Plácido, sem comentário, lá foi cumprir a ordem do amo. Vestiu a casaca verde. Espremeu o pescoço num colarinho de palmo. Alastrou no peito um "plastron" vistoso. Borrifou-se de água-de-cheiro. Calçou luvas. Pôs um cravo na botoeira. E assim, casquilho e taful, partiu com elegância para a merenda em casa do Ministro dos Estrangeiros.

* * *

Plácido Antônio Pereira de Abreu, ou melhor, e simplesmente, o "Plácido", tivera uma sorte curiosa. Fora um caso interessantíssimo de boa-estrela. Um amimado da fortuna! E esse, que, ao depois, conquistaria tão largamente as boas-graças do Imperador, começou na vida como "varredor do Paço". Um dia, todo ronhas e habilidade, aplainou as coisas e subiu de posto: conseguiu insinuar-se como barbeiro de D. Pedro. D. Pedro, por esse tempo, ainda era príncipe. E além de príncipe — toda gente sabia — um desmiolado e estróina. O barbeiro, por seu turno, um sujeito folião, muito patusco, amador de rega-bofes, grande conhecedor de mulherinhas.

D. Pedro afeiçoou-se logo ao barbeiro. Era natural... Fê-lo seu camarada de todas as noites. Ligou-se ao homenzinho com um entusiasmo boêmio. O Plácido tornou-se o amigo de toda hora, o imprescindível, o companheiro único. Foi então, nessa quadra maior, o mais acarinhado dos validos do príncipe.

O nosso primeiro Imperador teve, durante a vida inteira, essa fraqueza imperdoável: gostou sempre de gente canalha. Circundou-se continuamente da ralé, tipos à-toa, escória apanhada no enxurro da vida. Os seus três favoritos, os servidores mais do peito, aqueles que

D. Pedro mais amou, demonstram-no dolorosamente. Um foi o Plácido; outro, o Chalaça; o terceiro, o João Pinto. O Plácido iniciou-se na vida como varredor do Paço; o Chalaça, como criado de galão; o João Pinto, como negociante falido e expulso da alfândega por ladrão. Esses três homens, no Primeiro Império, ergueram-se a alturas vertiginosas. Tornaram-se os poderosos do dia. Não houve mercê que pleiteassem e não alcançassem.

O Plácido conquistou o seu valimento desde os belos tempos em que D. Pedro era solteiro. A começar daí, durante a vida inteira, trabalhou ininterruptamente no Paço. Subiu tanto, com tal felicidade, que chegou a ser tesoureiro do Imperador. Depois, por determinação de D. Pedro, acumulou o cargo de tesoureiro da Imperatriz.

Foi até (não podia haver posto de maior confiança...), foi até espião de D. Leopoldina! O Imperador, por tão altos serviços, condecorou-o com a Ordem do Cruzeiro e com a Ordem da Rosa. O Plácido fizera-se benemérito da pátria.

E como conseguiu o "varredor" do Paço infiltrar-se de tal jeito no coração do amo? Por um acontecimento cômico. Uma verdadeira maluquice de D. Pedro. Uma dessas muitíssimas maluquices do nosso simpático primeiro Imperador. O caso foi assim:

* * *

D. Pedro, como príncipe, recebia muito pouco dinheiro. A sua pensão era ridícula: um conto de réis. E não havia força de D. João sair daquilo. O rei era um sovina tremendo. D. Pedro, temperamento de irrefletido, inteiramente oposto ao do pai, gastava às mancheias, estouradamente, esbanjadamente. Por isso mesmo, enquanto príncipe, D. Pedro viveu em aperturas desesperadas. Mais duma vez, nos seus apuros, o herdeiro do trono recorreu a empréstimos envergonhantes. O *Pilotinho,* bodegueiro da Rua dos Barbonos, forneceu-lhe certa ocasião doze contos de réis. Manuel José Sarmento, pessoa pacata, antigo oficial de secretaria, socorreu-o muitíssimas vezes com

AS MALUQUICES DO IMPERADOR

quantias fortes. Ora, diante da usura do pai, para sair daquela situação humilhante de empréstimos e mais empréstimos, o príncipe tomou uma resolução heróica: resolveu ganhar dinheiro! Resolveu ganhar dinheiro a todo transe, de qualquer jeito, desse no que desse. E que é que engendrou aquela cabeça de vento? Apenas isto: fazer uma sociedade mercantil com o Plácido. Imaginar e executar foi um pronto. Apalavraram logo o contrato. E ambos, unindo os seus destinos, meteram-se a negociar. Um príncipe, o herdeiro do trono, a negociar de parceria com o seu barbeiro! Imaginai um pouco... E negociar em quê? Na única coisa de que D. Pedro realmente entendia: compra e venda de animais...

A sociedade principiou a funcionar sem demora. D. Pedro, em companhia do Plácido, ia quase toda a manhã ver as tropas que chegavam. Escolhia, num relance, os animais mais belos. Um golpe de vista espantoso! Apartava-os, pagava-os, mandava-os para as cavalariças do Paço. Diziam os tropeiros que o "moço tinha faro: enxergava logo a flor da manada...".

Depois, na cidade, a engrenagem do negócio era das mais simples. Uns dias de trato, os animais engordavam, o pêlo reluzia. O Plácido saía então em busca dos compradores. Uma facilidade. Bastava dizer a um daqueles fidalgotes endinheirados:

— O príncipe resolveu vender um belo animal. Belíssimo animal! É um dos mais soberbos das cavalariças do Paço. Por que Vossa Mercê não aproveita a ocasião?

O homem não titubeava. Corria ao Paço, via o cavalo, achava-o perfeito, comprava por qualquer preço. E saía honradíssimo, cheio de orgulho, a esparramar pela corte que adquirira um "cavalo das cavalariças reais...".

A sociedade, evidentemente, começou a prosperar. Os dois parceiros puseram-se a ganhar dinheiro à vontade. Dinheiro a rodo. D. Pedro andava contentíssimo! O negócio era dos melhores, dos mais certos.

— Um negocião da China, como dizia alvoroçadamente o príncipe ao barbeiro; um negocião da China! E dizer que até hoje ninguém teve ainda essa idéia.

Mas, um dia, por fatalidade, aquela história foi parar aos ouvidos do Rei. D. João VI branqueou. Nunca, na sua vida, o pobre monarca enfureceu tanto! Aquela leviandade do príncipe revirou-lhe os nervos. Sacudiu-o! Mandou chamar imediatamente o filho.

D. Pedro, ao entrar, deparou com o pai de pé, revolucionado, o cenho torvamente cerrado. O rei tinha na mão a sua grossa bengala de castão de ouro. E numa fúria, espumejando:

— Então, seu grandíssimo canalha, vosmecê a negociar em animais? E a negociar de parceria com o Plácido, o barbeiro? Pois vosmecê, o herdeiro do trono, não tem vergonha nessa cara? O que eu devia fazer, seu cachorro, era quebrar-lhe a cara com esta bengala? Quebrar-lhe a cara, ouviu?

E erguia a bengala no ar, e bramia, e descompunha, e gaguejava de cólera. D. Pedro não negou. Confessou tudo com firmeza. D. João mandou buscar o Plácido. E ali mesmo:

— Você, de hoje em diante, está proibido de se meter em qualquer negócio com o príncipe. A sociedade está liquidada. Lucro, se houve, que fique para você. Não admito que meu filho toque num real dessa patifaria.

E desfez a sociedade.

Está claro que havia muitíssimo lucro no negócio. E o Plácido, o felizardo, ficou-se com aquele dinheirão todo. Principiou desde aí, com esse capital, a prosperar na vida. Ficou riquíssimo. Terminou numa das mais grandiosas fortunas do Primeiro Império.

* * *

Rompeu-se a sociedade mercantil, é verdade, mas não se rompeu a amizade velha que unia o amo e o criado. Ao contrário: afeiçoaram-se ambos mais estreitamente. Continuaram pela vida afora companheiros e íntimos. E agora, já imperador, D. Pedro não dispensava o Plácido. Naquele momento, então, mais do que nunca, o favorito desempenhava esta nobre e alta missão: era o recadeiro entre D. Pedro e a filha do Inhambupe. Diga-se outra vez, a bem da justiça, que o Imperador, até aquele momento, não recebera da rapariga uma só prova, por pequenina que fosse, que demonstrasse ser correspondido na sua maluquice. Nunca a moça dissera-lhe um "muito obrigado!" Nunca, nos beija-mãos, esboçara um sorriso mais significativo. Nunca, no teatro, erguera ao camarim imperial um olhar que prometesse. D. Pedro notava aquilo. Reclamava. Mas, o Plácido, astucioso e hábil, explicava sempre:

— É para não dar na vista. Ela não quer comprometer-se. Haverá nada mais justo? Mas fique Vossa Majestade sossegado! Deixe o caso por minha conta...

Um dia, enfim, depois daquele suave período de galanterias, D. Pedro tomou uma resolução de louco. Uma resolução verdadeiramente incrível. Sua Majestade ordenou ao criado:

— Vá à casa do Inhambupe e traga-me a filha aqui.

— Aqui no Paço?

— Aqui no Paço! Vá já. Eu fico à espera...

E ficou à espera. As horas começaram a passar. Uma só idéia mordia-lhe o cérebro: será que a moça vem? E D. Pedro andava. Agitava-se. Fumava. O coração batia-lhe forte. Será que a moça vem? As horas passavam... Nada do Plácido! E o Imperador ansioso. E o Imperador cada vez mais aflito. E nada do Plácido! De repente, erguendo o reposteiro, surge o camarista de serviço. D. Pedro, ao vê-lo, arregalou os olhos, espantadíssimo:

— Que há?

— O Senhor Marquês de Inhambupe está na antecâmara. Veio em companhia de Plácido. O Marquês pede para falar urgentemente a Vossa Majestade.

D. Pedro empalideceu. O coração esfriou-lhe. Que diabo teria acontecido? Mas ordenou sem vacilar:

— Que entre!

O Marquês entrou. D. Pedro recebeu-o secamente. Estava nervoso e trêmulo.

Paulo Setúbal

— Que deseja, Marquês?

O Inhambupe entrou logo em matéria:

— Vossa Majestade há de saber que o Plácido, há vários meses já, vem cortejando a minha filha...

— O Plácido?!

— Sim, o Plácido... Aparecia-me ele, quase todo o dia, com mimos para a rapariga. Era uma flor, uma caixa de confeitos, uma prenda. Eu nunca disse coisa alguma. O Plácido é bom rapaz, muito sensato, pessoa de bem. Homem um pouco madurão, é verdade; Vossa Majestade sabe que o nosso Plácido já passa dos quarenta! Mas eu também não gosto lá de peralvilhos... E por isso deixei a coisa tomar vulto. Hoje, para encurtar histórias, hoje, o homem surge-me lá em casa e pede-me a rapariga em casamento...

E D. Pedro, com assombro:

— O Plácido?

— Sim, Majestade. O Plácido! Pediu-me a rapariga em casamento. Eu, com franqueza, nada tenho contra ele. É pessoa que estimo, pessoa que já tem o seu pecúlio amealhado, uma pessoa, enfim, que não envergonha a gente. Mas eu disse-lhe (como o Plácido é servidor do Paço), que viria em primeiro lugar expor a Vossa Majestade. Estando Vossa Majestade de acordo, eu, evidentemente, também, estaria. Depende tudo de Vossa Majestade. Que é que Vossa Majestade resolve?

D. Pedro ouviu, estuporado. A cabeça dançava-lhe. Estava boquiaberto! Mas respondeu logo, automaticamente, num alvoroço:

— De pleno acordo, Marquês! De pleno acordo! O Plácido é excelente pessoa. A filha de Vossa Excelência faz um ótimo casamento. E um casamento do meu inteiro agrado! Pode ajustar as bodas...

O Marquês iluminou-se. E baboso de contentamento:

— Pois folgo muitíssimo em ver que Vossa Majestade consente... Folgo muitíssimo... À vista disso — não há mais dúvida — está ajustado o casamento. Vou levar já a boa nova à minha filha...

Ergueu-se, beijou a mão do Imperador, saiu tonto de felicidade. D. Pedro acompanhou-o até a porta. E com um sorriso:

— Diga ao Plácido que entre, Marquês... Quero abraçá-lo!

E D. Pedro, um fundo vinco na testa, os braços cruzados, esperou o antigo barbeiro. O Plácido entrou. Vinha agoniado, o ar zonzo. Não teve coragem de fitar o amo: apenas, num aturdimento, atirou-se como louco aos pés do Imperador. E chorando, as mãos postas, pôs-se a bradar num desespero:

— Perdoe-me, Senhor D. Pedro! Perdoe-me! Eu fui um traidor! Um infame! Eu bem sei que fui indigno da confiança de Vossa Majestade...

E chorava desabaladamente. D. Pedro ergueu-o desarmado: aquelas lágrimas do amigo abrandaram-lhe imediatamente as iras. D. Pedro sorriu um sorrisinho malicioso. E:

— Mas que é que aconteceu, homem? Que é que significa esta comédia? Vamos lá. Explica-te...

— É que eu gosto da moça, Majestade! Eu sempre gostei dela! Aquela rapariga é a minha paixão! É o meu sonho! E eu — Vossa Majestade me perdoe! — eu não pude resistir: cortejei-a para mim...

D. Pedro, no fundo, era uma alma encantadora. Aquela aventura do criado, verdadeira página de opereta, entrou-lhe vencedoramente pelo coração adentro. Todo o seu furor dissipou-se. Aquilo era dum cômico feroz, irresistível... E ali, diante do noivo trêmulo, de olhos molhados, D. Pedro não pôde reprimir-se: soltou uma gargalhada gostosa, uma gargalhada que lhe brotou sonoramente na alma!

— Oh! seu moleque, eu devia mandar-te para a forca; ouviste? Então, canalha, em vez de conquistar a moça para mim, foste arranjar noiva para ti? Oh! grandíssimo tipo...

— Perdoe-me, Senhor D. Pedro, tornava Plácido, murcho. Perdoe-me! Foi uma traição, eu sei, mas eu gosto tanto da moça! Perdoe-me...

E D. Pedro, jovialmente:

— Pois estás perdoado! Estás perdoado, seu traste! E agora, como Imperador, ordeno que faças a rapariga feliz. Se a não fizeres — vê lá — mando-te para o aljube...

O Plácido abriu-se num sorriso. Era uma delícia vê-lo assim, diante do amo, rindo e chorando, o ar aparvalhado. E D. Pedro, para coroa daquilo tudo, abriu o contador, escolheu uma bela borboleta de pedras, entregou-a cavalheirescamente ao Plácido:

— Toma lá, meu amigo. Coloca isto nos cabelos de tua noiva... É uma lembrança minha.

E mandou a jóia para a filha do Inhambupe.

* * *

A notícia do casamento estrondou como uma bomba. Foi um choque! O Rio inteiro comentou...

João Loureiro, que viveu no Brasil uma larga temporada, tendo a boa idéia de escrever montes de cartas sobre tudo quanto se passava na Corte por esse tempo, mandou ao Reino um comentário ao inesperado acontecimento social. Lá diz o curioso bisbilhoteiro:

"Isto, e 'o casamento do Plácido', criado do Imperador, com huma filha do Marquez de Inhambupe, tem ocupado todas as attenções e conversas, já não digo dos salões, que cá não há, mas das salinhas..."

Coroação de D. Pedro I
Debret

RATCLIff

*S*AÍRA DA FORTALEZA de Santa Cruz o préstito estranho. Vinha, doloroso e fúnebre, torcicolando pelas ruelas da Corte, a caminho do Largo da Prainha. Fora aí que se levantara a forca. O povo, consternado e murcho, apinhava-se pelas esquinas e becos. As janelas atulharam-se de gente. Havia uma curiosidade espicaçante. Todos queriam ver a procissão soturna. E a procissão desfilava, triste e confrangedora, solenemente vagarosa... Um irmão do Santíssimo, com a opa escarlate, ia à frente, carregando a Cruz. Dum lado, em longa fila, cabisbaixos e graves, os Irmãos da Misericórdia; doutro lado, com os seus hábitos negros, o ar condoído, os Irmãos das Almas. Um quadrado de cavalaria. Dentro, montado num zaino vistoso, todo metido na sua beca negra, debruada de arminho branco, o Corregedor do Crime. Enfim, trágicos e lúgubres, três homens a pé. Os condenados... Iam descobertos, curiosamente revestidos por uma alva de linho, o pescoço enfiado na laçada duma grossa corda, cujas pontas dois outros homens sustentavam. Eram os dois carrascos. Caminhava entre eles sacerdote velho. Melancólico, o roquete branco e a estola, roxa, o homem do Senhor seguia cristãmente os que deviam morrer. Um rapazola, coroinha da Sé, batia sem cessar, desconsoladoramente, uma campainha tenebrosa. Que tanger arrepiante! Aquilo esfaqueava o coração... O povo sentia aquela angústia. Contemplava, sofredor e mudo, o espetáculo desolante.

Quem eram esses desgraçados que iam para a forca? Ouvi o meirinho do crime, esse que vai a cavalo, a vara simbólica na mão. Lá diz ele, aos berros:

— Justiça! Justiça!

"Justiça que manda fazer o Imperador constitucional do Brasil aos réus João Guilherme Ratcliff, João Metrowich, Joaquim Loureiro, por crime de rebelião e alta traição. Que sejam com baraço e pregão levados pelas ruas públicas ao lugar da forca, onde morrerão de morte natural para sempre.

Justiça! Justiça!"

Ali estavam, portanto, os homens implicados no movimento revolucionário de 1824. Ali estavam os últimos ecos da "Confederação do Equador", essa temerária empresa republicana de Manuel Carvalho Paes. De todos os envolvidos na revolta famosa, só aqueles homens, os três que lá seguiam foram julgados na Corte. O processo deles, o mais retumbante processo do primeiro reinado, empolgou furiosamente a opinião pública do Rio. A cidade inteira interessou-se pela sorte dos miseráveis. É que havia entre eles um personagem sedutor: Ratcliff.

Inteligentíssimo, muito culto, falando eximiamente várias línguas, soube o fascinante revolucionário atrair em torno da sua desdita uma larga aura de simpatias. Todo o mundo apiedou-se dele. Todo o mundo suplicou por ele. Subiram aos ouvidos do monarca as implorações mais enternecedoras. Em vão! Ratcliff e os companheiros foram condenados à morte. E agora, naquele dia taciturno, marchava o préstito horrorizante a caminho da forca.

Mas, o préstito caminhava numa lentidão anormal, esquisita. Havia um propósito de retardar o enforcamento. Em frente à igrejinha de Santa Rita a procissão estacou.

Os condenados ajoelharam-se. Longo tempo aí estiveram num estacionamento visivelmente intencional. Um irmão das Almas, acotovelando o companheiro, indagou com desânimo:

— Será que ainda vem o perdão?

— Pode ser... Agora o pedido é grave! Vossa Mercê não sabe?

— Não...

— Pois a maçonaria saiu a campo. Foi há pouco uma comissão urgente à casa da Senhora Marquesa de Santos.

— À casa da Marquesa?

— Sim, senhor! À casa da Marquesa. Foi implorar à favorita que interceda junto ao Imperador. Só ela, só a Marquesa é quem pode salvar a Ratcliff...

— Não há dúvida! A Marquesa é a única pessoa que pode salvá-lo. É a mulher mais poderosa do Império. É quem manda em D. Pedro. Ah! Deus queira que a Marquesa consiga! Deus queira que venha o perdão! Pobre Ratcliff!

E todos penalizados, a alma compungida, quedaram-se silenciosos em frente à igrejinha de Santa Rita. Era um fremir. Era uma ânsia desesperada por que viesse o perdão.

Enquanto isso, no palacete da senhora Marquesa de Santos os maçons suplicavam angustiadamente pelo "irmão Ratcliff"!

D. Pedro, por golpe de força, dissolvera acintosamente a Assembléia Constituinte. O ato despótico teve nas Províncias uma repercussão sangrenta. O norte, de armas na mão, protestou contra aquela violência ditatorial. Rebentou por lá, temerosamente, a "Confederação do Equador".

Manuel de Carvalho Paes encabeçou o movimento. Pernambuco, terra do caudilho, tornou-se o cérebro da revolta. Ceará, Paraíba, Rio Grande do Norte, agruparam-se logo em torno da grande província. As idéias democráticas, a ambição de formar no Brasil uma vasta República livre, alastraram-se triunfalmente entre aqueles visionários rebelados. Manuel de Carvalho Paes trouxera dos Estados Unidos a semente sagrada. Semeou-a com um entusiasmo heróico.

Arregimentou parceiros ardentes. Tramou a insurreição. Insuflou. Num relâmpago, sacudindo o país, a "Confederação" encorpou assustadoramente. Foram depostos os governadores legais. Os rebeldes apossaram-se de toda a região. Mas D. Pedro sorriu daqueles tresloucados. Aprestou vertiginosamente as suas tropas. E fez partir às lufadas o General Lima e Silva à frente delas.

Levava o soldado ordens ferozes. Ordens que Lima e Silva cumpriu com selvageria. É que uma boa-estrela, desde logo, alumiou as armas imperiais.

Os revolucionários foram batidos em "Couro d'Anta". Foram batidos no "Agreste". Foram batidos em "Engenho do Juiz". Carvalho Paes, vítima da própria imprudência, separado imprevistamente das suas tropas, fugiu para bordo da nau inglesa "Tweed", onde se asilou.

Os imperiais triunfaram. Começou, então, pelas províncias confederadas, tremenda enfiada de vinganças.

D. Pedro foi inexorável. Não teve um gesto de clemência. A fúria sanguinária de Pedro, o Cru, acordou insopitável na alma do neto. O Bragança afogou em jorros de sangue a idéia republicana. Todos os envolvidos na insurreição estrebucharam na forca. Não escapou um só. De nada valeu o clamor público a favor de Frei Caneca. Nem o prestígio do simpático Major Agostinho Bezerra Cavalcanti, o mulato probo. Nem os serviços patrióticos de Nicolau Martins. Nem a batina do padre Gonçalo Bororó. Nem a velhice do Ibiapina. Nada!

D. Pedro foi cruel. Mandou traspassar a todos. Não houve súplica, não houve lágrima que abrandasse as suas cóleras.

Nunca mais na vida, até morrer, o Imperador se mostrou tão sem entranhas. D. Pedro, com assombro de toda gente, revelou-se verdadeiramente tigrino. Pôs bem a nu a faceta despótica do seu caráter. Diante dessa dureza estranha, tão em contraste com as gaiatices daquele Imperador folgazão, um historiador sensato ponderou com acerto: "O movimento republicano foi sopeado, mas — coisa triste de recordar-se — D. Pedro I, não satisfeito de ter vencido pelas armas, inspirado por uma política de rancor e de vingança, recorreu ao

Marquesa de Santos
Francisco Pedro do Amaral (atribuição)

expediente vulgar dos cadafalsos. Ele, que havia se revelado contra a própria Pátria, contra seu Rei e contra seu Pai; que dissolvera a Assembléia Constituinte, violando o dogma da soberania nacional, constituindo-se em estado de flagrante ilegalidade; este Príncipe, enfim, grande e ilustre revolucionário, fez enforcar e fuzilar outros revolucionários pelo crime de haverem protestado contra o golpe de Estado. Vítimas ilustres, cujo perdão mal bastaria para honrar a demência imperial, e cujo sacrifício foi assaz poderoso para perpetuar uma tirania odiosa, posto que passageira".

* * *

Ratcliff implicara-se na revolução republicana de 1824. Quem era esse personagem? Di-lo o Conselheiro Moreira Pinto: "João Guilherme Ratcliff nasceu na cidade do Porto, freguesia da Sé, na Rua das Flores, em 1770. Seu pai era polaco. Sua mãe era portuguesa, filha de polacos. Seu pai tinha negócio de instrumentos náuticos e de música. Ratcliff navegou muitas vezes para a Ásia. Possuía esclarecidíssima inteligência. Era alto, gordo, claro, corado, cabelos louros".

Partidário feroz do constitucionalismo, palpitante de idéias liberais, Ratcliff meteu-se exaltadamente na revolução portuguesa antiabsolutista de 1820. Era, por esse tempo, oficial de secretaria.

Quando se tratou de lavrar o decreto de banimento da rainha D. Carlota Joaquina, não houve oficial (é pasmoso!) que tivesse a coragem de se incumbir da melindrosa tarefa. Ratcliff, com grande afoiteza, apresentou-se para lavrar o decreto. Lavrou-o. Mas quando foi jugulado o movimento liberal, vitoriosos os absolutistas, Ratcliff viu-se tremendamente perseguido pelos triunfadores. Fugiu para o Brasil. Asilou-se em Pernambuco. Arregimentou-se entre os parceiros republicanos de Carvalho Paes.

Mas, a co-participação de Ratcliff nesse movimento foi mínima. O chefe da Confederação mandou-o para Alagoas, a fim de atrair aquela província à causa dos insurgentes. Ratcliff embarcou no brigue

"Constituição ou Morte", de que era comandante João Metrowich, marujo maltês. Comboiava-os a escuna "Maria da Glória", capitaneada pelo pernambucano João Loureiro. Os comissários rebeldes desembarcaram em Tamandaré onde deixaram quinze contos de réis. De Tamandaré seguiram até Barra Grande, onde apresaram o brigue "Bandurra". Aí, tomados de surpresa, foram os revoltosos aprisionados por dois navios imperiais. O capitão Teodoro de Beaurepaire mandou-os imediatamente para o Rio.

Não podia haver, portanto, colaboração mais apagada. Foi ridícula. Mas D. Pedro, para aterrorizar o império, ordenou uma formação de culpa severíssima. E os juízes, por sabujice, porfiaram em rigores, clamorosos. O processo correu arrochado, com muitíssimas testemunhas, com formalidades infindáveis, extenuantes. Apurou-se muito pouco. Quase nada. A responsabilidade dos indiciados resultou das provas levissimamente comprometidas. Mal comportaria uns anos de prisão. A pena de morte seria de uma injustiça uivante. E o povo, que acompanhava o processo com ardente sofreguidão, implorou com alma, abundantemente, um pouco de brandura para os infelizes. Todo o Rio de Janeiro movimentou-se.

Foi um interesse, uma palpitação! O "caso Ratcliff" empolgou e arrastou a corte inteira! O advogado Ovídio Saraiva de Carvalho fez prodígios. A maçonaria, força pujantíssima que era, agitou-se fervilhosamente em torno dos ministros e do monarca. E era uma ânsia! Discutiam-se todos os gestos e todas as frases do revolucionário. Os poetas vergilianos sabiam de cor aqueles dois versos latinos que ele escrevera nas paredes do cárcere:

Quid mihi mors nocuit? Virtus post facta virescit.
Nec illa perit gladio saevi tyranni.[2]

Os letrados comentavam entusiasticamente as notas eruditas que o encarcerado, mesmo na prisão, ia escrevendo à obra "Principes

---

[2] Em que a morte me foi nociva? A virtude depois dos fatos revive. Nem ela perece pela espada do Tirano. (Nota do "Clube do Livro".)

éternels de politique constitutionelle", de Desquiron Saint-Agnan. E tudo isso, versos e notas, gestos e frases, incendiava a imaginativa popular. D. Pedro, porém, não se abalava. As ordens que dera o monarca aos julgadores eram inflexíveis: condenar à morte. Nada de cadeia; nada de expulsão. Forca! Forca simplesmente. Um dos desembargadores, modelo vivo de bajulação, trouxe a S. Cristóvão o rascunho da sentença. Era uma peça rancorosa, sem equilíbrio, crivada de pesadíssimos impropérios. D. Pedro leu-a. E como sempre, em meio de tanta severidade, teve um gesto simpático:

— Desembargador, esse palavrório não está direito! Condenem o homem, isto sim; mas, não o insultem...

E mandou reformar o teor da sentença.

Não houve, portanto, indulgência alguma. Os homens ouviram no cárcere a leitura do despacho fatal. E nesse mesmo dia, com aquele ritual bárbaro, partiram da Fortaleza de Santa Cruz a caminho da Prainha.

Surgiu a notícia da condenação. Foi uma tristeza áspera. O povo inteiro consternou-se. Partiram de todas as camadas brados de piedade. A maçonaria, naquela angústia, lembrou-se dum expediente supremo: recorrer à Marquesa de Santos! Recorrer à poderosíssima paulista, à mulher mais alta do Império, à que subjugara o moço reinante com os seus abraços de veludo e os seus beijos de fogo. Formou-se logo uma comissão. À frente dela, ia o Dr. Domingos Ribeiro dos Guimarães Peixoto, gentil-homem da câmara, cirurgião imperial, futuro Barão de Inhomerim. Os peticionários voaram ao palacete da favorita. D. Pedro estava lá. D. Pedro, na insânia da sua paixão, passava agora dias inteiros grudado às saias da favorita. Tinha mesmo o despudor de receber aí os seus ministros e despachar aí com eles! Naquele dia, ao sentir o vozerio dos maçons, o Imperador percebeu logo o que significava aquilo. Fugiu às pressas para o quarto. Trancou-se por dentro a sete chaves. A Marquesa, ouvindo a súplica dos intercessores, apiedou-se também dos miseráveis. E a linda moça correu pressurosa à cata do amo. Bateu sofregamente à porta. Nada! Bateu outra vez. Nada! Embalde a procissão retardava-se em frente à igrejinha de Santa Rita. O Imperador, trancado no quarto, não dava sinal de si. Ondeou novamente pelas ruelas da corte. Alcançou enfim o Largo da Prainha...

Nesse instante, em casa da Marquesa, D. Pedro enfiava pelo buraco da fechadura um pequenino bilhete. A Marquesa agarrou-o com ânsia. Abriu-o. Havia nele apenas isto:

— É tarde.

Era, de fato, tarde. Ratcliff subira o estrado da forca. E virando-se para o povo, tranqüilo, a voz forte:

— Brasileiros! Eu morro inocente! Morro pela causa da Liberdade! Praza aos céus que o meu sangue seja o último que se derrame no Brasil por motivos políticos.

O sacerdote tocou-lhe no ombro. Pediu que não continuasse. O condenado sorriu:

— Eu me resigno, padre. E morro pela causa da Liberdade!

A corda caiu-lhe ao pescoço. Girou a roldana. Rangeram as traves do madeirame. E o corpo de Ratcliff desabou, pesado e solto...

Pela primeira vez, (talvez a única!) a Senhora Marquesa de Santos não conseguiu uma graça do Imperador. E foi pena. D. Pedro, com aquela selvageria, com aquele emperramento em não anistiar um só criminoso político, acendeu rancores, acirrou as mais vermelhas paixões partidárias. Impopularizou-se fortemente. Fomentou aquela grossa onda de descontentamentos que fervilhava no país inteiro, e que afinal explodiu no 7 de abril de 1831, cuspindo-o fora daquele mesmo trono que ele criara na América.

* * *

Diziam os coevos, até (aonde vai a verdade disso?) que D. Pedro, no furor sangrento que então o dominou, mandara cortar a cabeça do cadáver de Ratcliff. Incumbira-se da monstruosidade o Dr. Francisco Júlio Xavier. E o Imperador, por uma galantaria fúnebre, mandara o horrendo mimo à sua mãe, a Rainha D. Carlota Joaquina, a fim de saciar-lhe o ódio que tinha ao liberal de 1820. "Esquiros", pseudônimo do Dr. Alfredo Moreira Pinto, ilustre biógrafo do condenado, diz textualmente: "Seria, porém, o seu corpo entregue à sepultura como os de seus dois companheiros? Não! Infâmia! Ratcliff havia copiado em Portugal o decreto de expulsão da Rainha D. Carlota. E D. Pedro I salgou a cabeça de Ratcliff e remeteu-a à sua Mãe!".

Melo Morais Pai recolheu a mesma tradição e estampou-a sem medo, ao tempo de Pedro II, no seu "Brasil Histórico". É lenda? É verdade? Teria D. Pedro a coragem dessa barbaridade?

D. Pedro I
Debret

A CEIA DO IMPERADOR

A atriz Ludovina, nessa noite, dava um espetáculo de gala no Teatro S. João. Era como uma coroa dos grandes regozijos públicos do dia. O Rio de Janeiro, de fato, fervilhara de contentamento. As fortalezas embandeiraram-se. Foguetes estrondaram no ar. Charangas por toda parte. Um alvoroço! No Paço de S. Cristóvão, inquieto e radiante, D. Pedro embriagara-se de felicidade. Fora-lhe o dia uma apoteose. A grande vitória do seu reinado. O Paço borborinhara de diplomatas e de cortesãos. Choveram lisonjas e cumprimentos. E agora, antes do espetáculo, naquele instante de tréguas, o Imperador decidira-se a terminar as suas alegrias com uma noite foliona. Depois de tanta luta, de tantas negociações diplomáticas, o coração borboleteante daquele moço pedia um desafogo boêmio. E o Imperador, abancando-se à secretária negra, tracejou um bilhetinho às pressas. Assim:

"Senhora Ludovina:
Esta noite, depois do teatro, trate de me esperar. Quero cear com Vmcê. Vou sozinho.

Imperador".

Borrifou areia no papel e ergueu-se palpitante. Sua Majestade estava contentíssimo. Que é que aconteceu? Uma notícia alvissareira: nessa manhã, chegando de Lisboa, uma corveta inglesa trouxera de Portugal o decreto por que D. João VI reconhecera a Independência do Brasil. Não podia haver acontecimento mais jubiloso. Era um final sereno ao drama brasileiro. E D. Pedro sentia largamente a felicidade da hora. E na sua felicidade sentia um acutilante anseio por dar largas àquele gênio estúrdio e doidivanas. Sua Majestade bateu palmas. O Chalaça apareceu. E D. Pedro, entregando o bilhete ao valido:

— Leia!

O Chalaça correu os olhos pelo papel. E com espanto:

— Vossa Majestade vai cear com a Ludovina?

— Vou!

— Eis um perigo, Majestade, tornou o Chalaça, precavido. Eis um perigo! A Ludovina é casada. É casada e séria. O marido — o Soares da Costa — um homem de maus bofes. Vossa Majestade se arrisca...

— Deixe-se de asnices, Chalaça! Você já viu atriz séria? Deixe-se de asnices... Leve o bilhete e diga que vou lá depois do teatro. Hoje é dia de festa, Chalaça! Hoje o Brasil é Brasil! Hoje é dia maior do que o 7 de Setembro! Toca a divertir um pouco, homem!

E D. Pedro delirava de gosto.

* * *

Tinha razão o monarca para aqueles júbilos. O 15 de Novembro fora a culminante vitória da obra que o jovem Bragança realizara. Não se trata, evidentemente, do 15 de Novembro republicano, o de 89. Não! É o 15 de Novembro de 1825, o monárquico. Foi ali — nesse famoso 15 de Novembro — que Portugal reconheceu por um decreto, definitivamente, a independência do Brasil. Reconheceu, enfim, a legitimidade desse império novo, autônomo, que a audácia galharda dum Príncipe moço criara na América. A história desse decreto é longa.

Representa ela, com todas as suas tricas, a mais porfiada luta diplomática do Primeiro Reinado.

Forçoso é proclamar, desde logo, que o Brasil deve o reconhecimento da sua autonomia à cooperação enérgica da Inglaterra. Foram os ingleses — não há dúvida — que decidiram da nossa sorte, há de parecer estranho (e o é de fato) que a ilha, a protetora, a amiga, a tradicionalmente aliada de Portugal, assumisse, em emergência tão áspera, essa atitude imprevista de sustentar a colônia contra a metrópole. Pois assim foi. E como se explica essa atitude? Por uma simples questão financeira. A Inglaterra foi sempre um país eminentemente prático. E no caso brasileiro, então, nada mais fez a Grã-Bretanha, ao sustentar o Brasil, do que defender o seu dinheiro e o seu comércio. Expliquemo-nos.

* * *

Portugal, quando estourou a notícia do 7 de Setembro, contava certo com a sua poderosíssima aliada. Os canhões ingleses haveriam de reconduzir a terra rebelde à sua velha situação de colônia. Mas as coisas, com assombro dos gabinetes europeus, tomaram um rumo atordoante. A causa da independência incendiara o Brasil inteiro. Desencadeara-se pela colônia uma rajada febrenta de patriotismos. O General Madeira, que se entocara na Bahia, em defesa de Portugal, fora já vencido e expulso da terra. Os Estados Unidos, com a sua larga liberalidade, reconheceram logo a independência da irmã americana. Um triunfo! O "caso" complicara-se assustadoramente. Como resolver? A Inglaterra, sempre fria e utilitária, encarou a situação. Viu, astuta e gananciosa, que tinha um soberbo tratado de comércio com o Brasil. Fora por esse tratado que a ilha se tornara a única nação que mercadejava sem concorrência na terra do pau-brasil. Ora, em 1823, esse tratado vencera. Carecia, portanto, reformá-lo. E para reformá-lo, urgia captar as boas graças do país novo.

Demais (e isto era o grave) a Áustria, por interesses de família, via com os melhores olhos a independência do Brasil. Francisco Leopoldo queria assegurar à filha o trono da América. Compreendeu bem a Inglaterra que Metternich, a primeira cabeça diplomática da época, esboçava já os primeiros passos para intervir a favor do reconhecimento. Resultaria disso — era fatal! — que o tratado de comércio escapuliria da Inglaterra e iria cair nas mãos da Áustria. Seria a maior das impolíticas. Seria a perda duma posição comercial vantajosíssima.

Além disso — e aqui a situação tomava proporções alarmantes — a Inglaterra havia emprestado a Portugal a soma carrancuda de 1.400.000 libras! Portugal, dono do Brasil, isto é, dono daquela inexaurível mina de ouro, poderia facilmente pagar. Mas, sem o Brasil? Como poderia a Inglaterra haver do pequenino país já exausto, com as colônias da África em pandarecos, tanto e tão rico dinheiro? Era preciso, pois, de qualquer jeito, compor com habilidade a situação negra. E a ilha incumbiu-se de ser medianeira do acordo. Começaram as negociações. Os plenipotenciários brasileiros e portugueses reuniram-se em Londres. As conferências eram presididas por Canning, primeiro-ministro. A Áustria, no caráter de amiga e conselheira, fora admitida a assistir às sessões.

Mas, não houve meio de se chegar a acordo. Portugal não cedia um palmo. Os seus estadistas, por uma inabilidade que custa a crer, impunham que o Brasil, antes de mais nada, antes de qualquer confabulação, reconhecesse a D. João VI como rei do Brasil. E isto depois do 7 de Setembro, depois da derrota do General Madeira, depois de proclamado e coroado o nosso Imperador, depois de haverem os Estados Unidos reconhecido a nossa Independência! Impossível, portanto, uma conciliação. Portugal estava irritante. Canning, diante disso, resolveu entender-se diretamente com D. João VI. Suspendeu as negociações diplomáticas de Londres. E mandou "sir" Charles Stuart parlamentar em Lisboa. Levava Stuart instruções enérgicas e categóricas.

Já em nota oficial declarara Canning, sem reservas, que a Inglaterra "não admitia intervenção de nenhuma nação no Brasil, o qual estava ligado à Grã-Bretanha por TRANSAÇÕES MERCANTIS E NEGÓCIOS DA MAIS ALTA IMPORTÂNCIA COMERCIAL". E

Stuart, além disso, levou a Portugal uma intimação crua. Dizia Canning a D. João VI, entre outras coisas:

"A Inglaterra está resolvida a reconhecer as repúblicas americanas e não pode excetuar o Brasil. Este tem direito de tomar assento entre as nações livres e já os Estados Unidos trocaram com D. Pedro diplomatas para representarem os respectivos países. Não pode a Inglaterra *sacrificar as suas conveniências,* e deixar a grande república tomar a dianteira nos negócios políticos e *comerciais.* O Governo inglês, portanto, considera *terminada* a *questão do reconhecimento do Brasil.* Seguirá para o Rio de Janeiro 'sir' Charles Stuart, em caráter diplomático, a fim de negociar com D. Pedro um tratado amistoso que muito interessa à Inglaterra. Aproveite Sua Majestade a perícia do negociador para um entendimento com o filho, de modo a finalizar a guerra. Se o Rei de Portugal não ouvir estes conselhos, *o governo inglês abandoná-lo-á na luta: e, sem mais considerações, declara que reconhece a independência do Brasil.*"

D. João VI andava às tontas. O reino convulsionadíssimo. Disputas internas as mais tremendas. Naquela angústia, urgido pelo seu grande e onipotente aliado, não teve o pobre Rei outro meio de desentalar-se: conferiu a Stuart poderes plenos para negociar definitivamente com D. Pedro a independência. E Stuart, já então certo do êxito, embarcou para o Rio de Janeiro.

* * *

D. Pedro recebeu o diplomata com grandes alvoroços. Ouviu-o logo numa audiência reservada. Stuart expôs, com a maior sem-cerimônia, as condições do reconhecimento. Se D. Pedro aceitasse, a Inglaterra sustentaria o Brasil contra Portugal; se não aceitasse, sustentaria Portugal contra o Brasil. Que fazer? O monarca reuniu o seu Conselho de Ministros. Era o gabinete Visconde de Barbacena. D. Pedro transmitiu-lhe a fórmula do acordo. E frisou bem os três pontos substanciais:

— A Inglaterra exige, para o reconhecimento, que o Brasil pague o empréstimo de 1.400.000 libras feito a Portugal; exige que o Brasil pague a D. João VI mais 600.000 libras a título de indenizá-lo das propriedades reais existentes no Brasil; exige para si, finalmente, um novo tratado de comércio nas mesmas condições do antigo.

Os homens ouviram, estatelados, a proposta. Aquela idéia de pagar em dinheiro (dois milhões de libras!) o reconhecimento da independência repugnou-lhes. Era indigno! O Ministro da guerra objetou, com grande ira, teatralmente:

— Mas é um recuo, Majestade! Depois da luta, depois de vencidos todos os estorvos, senhores do país, vamos nós agora voltar para trás? Vamos pagar, em dinheiro, o que já conquistamos com sangue? Por quê? Não há motivo que justifique... Se Portugal quiser reconhecer o novo Império, reconheça. Se não quiser, paciência!

— Mas, nesse caso, Senhor Ministro, a Inglaterra intervém, redargüia D. Pedro conciliador; veja a gravidade disto: a Inglaterra, que é hoje toda poderosa, intervém a favor de Portugal!

— E que mal há nisso, Majestade?

— Que mal há nisso?

— Sim, Majestade, tornou o ministro com espavento; que mal há nisso? Se a Inglaterra intervier, Majestade, nós nos bateremos contra a Inglaterra! Nós nos bateremos até a última gota de sangue! D. Pedro irritou-se! Aquela patriotada recendia fortemente a estultícia. O Brasil a bater-se contra a Inglaterra em 1825! Vede um pouco! O Brasil sem dinheiro, sem armas, sem gente, inteiramente desguarnecido, a enfrentar a Inglaterra, o país mais rico e mais forte do mundo! Que basófia! D. Pedro não se conteve; e carrancudo:

— Mas, enfrentar com que, Senhor Ministro? Nós não temos nada... Enfrentar com quê?

— Enfrentar de qualquer jeito, Majestade!

— Mas, enfrentar de que jeito, Senhor Ministro? De que jeito? Só se for com...

E D. Pedro, furioso, disse em pleno Conselho uma palavra porca. Viu o monarca nitidamente que o espírito brasileiro não admitia acordos. Havia, entre os próprios ministros, aquela absurda atitude

AS MALUQUICES DO IMPERADOR

de patriotas. Que seria, então, no congresso? Que barulhada não haviam de fomentar os deputados? D. Pedro, à vista disso, resolveu o caso temerariamente. Assinou dois tratados. Um, público, ostensivo, pelo qual D. João VI reconhecia singelamente a independência do Brasil. Foi uma alegria. Aplausos das galerias. Grande vitória! Mas, assinou, também, outro, este secreto pelo qual o Imperador, ilegalmente, se obrigava a pagar dois milhões de libras e a fazer com a Inglaterra novo tratado de comércio.

"Sir" Stuart partiu para Portugal. E a 15 de Novembro de 1825, em Lisboa, D. João VI reconhecia afinal a independência da sua colônia...

D. Pedro cumpriu a palavra: pagou as libras e assinou o tratado.

O ato do soberano ressente-se — não há dúvida — duma ilegalidade clamante. D. Pedro não podia dispor assim, arbitrariamente, de dois milhões de esterlinos. Mas essa ilegalidade foi a mais abençoada das que praticou D. Pedro. Conseguiu o monarca, por ela, alicerçar a sua grande obra. Evitou a guerra. Serenou as agitações patrióticas. Não se derramou mais uma gota de sangue. Criou afinal um império. E o Brasil, como por encanto, serenamente, sem ódios e sem lutas, apareceu como nação livre aos olhos do mundo!

**

Nada mais explicável do que o júbilo de D. Pedro. A notícia do reconhecimento embandeirara-lhe a alma. Sacudira-o! Aquilo era a alta vitória do seu governo. E D. Pedro, por isso mesmo, podia permitir-se naquela noite uma ceata alegre: ganhara-a com justiça. Foi, portanto, com a alma em festa, radiantíssimo, que Sua Majestade se ataviou para o espetáculo da Ludovina.

Que noite! O Teatro de S. João atulhara-se. De instante a instante, com os seus trintanários de libré agaloada, as seges despejavam emproados nomes. A corte inteira acudira luzidamente à representação de gala. Eram oito horas justas, quando o coche imperial estacou à porta. D. Pedro, muito galhardo, casaca verde, o pescoço afogado num colarinho de palmo, a Ordem do Cruzeiro chamejando ao peito, saltou por entre vivas furiosos da multidão:

— Viva D. Pedro! Viva D. Pedro!

O Imperador entrou. Rompeu o hino. Todos se ergueram eletrizados. No camarim real, de pé, um sorriso de glória no lábio, Sua Majestade soltou os olhos por aquele povo. Tudo galas! Havia um ruge-ruge de sedas. Decotes estonteantes. Saltavam coriscos de jóias profusíssimas. Faiscavam nas lapelas enormes crachás embrilhantados. Era soberbo! A Senhora Viscondessa de Paranaguá trazia ao pescoço a sua famosa gargantilha de pérolas. A Baronesa de Jundiaí, fidalga das mais ricas, vestia um corpilho de veludo negro, muito atacado, inteiramente bordado a fios de prata. Carvalho e Melo, Ministro dos Estrangeiros, tinha no seu camarote a Marquesa de Gabriac, Ministra da França, uma loura magnífica, a mulher mais elegante da corte. Lá estava o velho Maricá, a calva rebrilhante, todo rugas, os óculos de ouro encavalgados no narigão vermelho. A Senhora Viscondessa de Santos também viera. Tinha a sua frisa em frente ao camarim do Imperador. Sozinha, o ar atrevido, recamada de pedras a pele trigueira mordiscada de volúpia, movendo senhorilmente o seu vasto leque de marfim e ouro, a primeira-dama da Imperatriz era o foco de todos os olhares, o comentário obrigatório de todos os cochichos...

Começou o espetáculo. Representava-se a "Caçada de Henrique IV". A atriz Ludovina, trágica de subida fama, tornara-se por esse tempo o ídolo dos cariocas. A comediante endoidecera o Rio. Era a mulher da moda. E, realmente, a deliciosa atriz tinha tudo para fascinar e provocar: era linda, era inteligentíssima, era honesta.

Os casquilhos da Rua do Ouvidor, moços fidalgos de casa imperial, tudo rapaziada guapa de lacaio e coche, adejavam-lhe em torno às saias, as mãos cheias de jóias, rivalizando-se num cortejar faminto. Mas, tudo inútil. A Ludovina não se deixava aturdir por galanteios. E dizia sempre, rindo-se muito, ao que se afoitava mais do que devia:

— Eu sou casada, Visconde. Sou casada e adoro o meu marido!

Ora, por um capricho desarrazoado, D. Pedro pôs-se a cobiçar a trágica da voga. Aquelas linhas flexuosas, aqueles dentes carniceiros, aqueles dois olhos negríssimos que derramavam chamas, todo aquele ar felino de beleza sã, aguçou desejos na alma vulcânica do moço monarca. D. Pedro sentiu pela comediante uma atração de abismo. Escreveu-lhe... Aquele bilhetinho denunciava-lhe a alma. Por isso, durante a noite, naquele espetáculo de gala, o coração batia-lhe descompassado, aos saltos. Não pelos lances da peça, que eram velhos e banais, mas pela idéia beliscante da ceia, daquela ceia que prometia ser cor-de-rosa...

* * *

Caiu o pano. O Imperador desceu vitoriado as escadas do teatro. O coche imperial, tirado a quatro, partiu a galope. E o Rio, a cidadezinha triste e feia, retombou no silêncio. Tudo deserto. Escuridão. De repente, no Paço, pelas saídas do fundo, surde misteriosamente um vulto. Vem cauteloso, pisando leve, enrolado na capa negra. O vulto embarafusta-se pelas ruelas pretas. Mete-se pela Rua Direita. Corta o Largo. Entra na Rua do Cano. Estaca diante dum casarão chato. É a morada da atriz Ludovina. O vulto espreita. Tudo trevas. Põe o ouvido à fechadura. Tudo quieto. Então, naquela hora morta, o curioso personagem bate devagarinho à porta... Bruscamente, como por milagre, jorram lá dentro clarões fortes de luz. O homem da capa negra sente um arrepio:

— É ela!

A porta escancara-se. O vulto recua, aterrado: diante de si, na porta, surde uma chusma de cômicos! São os atores da companhia... E o bando inteiro, abrindo alas, com fachos na mão, alumia sarcasticamente a chegada do embuçado... O vulto foge, espavorido! No mesmo instante, atroando a noite, estronda uma gargalhada formidável. Uma gargalhada de todos os comediantes, ferina, demolidora. E uma voz veludosa, uma voz acariciante de mulher, grita para o homem que foge:

— Queira entrar, meu senhor! A ceia está na mesa...

Dentro da capa espanhola, furioso, o vulto sente o sangue chofrar-lhe nas veias. Uma grande cólera estruge nele. Mas, para evitar o escândalo, estugando o passo, apenas murmura entre dentes, fulo de ira:

— Cachorra!

* * *

E foi assim, naquela noite, depois do espetáculo de gala, que terminou a ceia cor-de-rosa do Imperador D. Pedro com a trágica Ludovina.

D. Pedro II quando criança
Arnaud Julien Pallière

O HERDEIRO DO TRONO

*D*UAS HORAS DA NOITE. Negra massa de populares apinha-se curiosíssima em torno de S. Cristóvão. Fora, no pátio, muita sege. Dentro, pelos salões, um vaivém estranho. Todas as luzes acesas. Os lacaios, cá embaixo, reconhecem os vultos, através das vidraças iluminadas:

— D. Mariana!

— O padre Boiret!

— O Chalaça!

A arraia-miúda ferve. Ninguém dormira nessa noite. Que aconteceu? É que pela cidade, sacudindo-a, estourara a notícia febrentamente esperada: Sua Majestade, a Imperatriz, sentira as primeiras dores... Foi um reboliço! As igrejas abriram-se. Começaram devoções infindáveis. O povo, ao eco da notícia, acudira num alvoroço bisbilhoteiro. Partiu tudo, bulhentamente, numa sôfrega romaria, para S. Cristóvão. As cercanias do Paço abarrotaram-se. Havia mulheres que rezavam terços em voz alta. Outras que acendiam velas bentas. E em todos, naquela mescla, a mesma pergunta ia de boca em boca:

— Um foguete? Três foguetes?

Fora este o sinal convencionado: um foguete, princesa; três foguetes, príncipe. E discutia-se. E faziam-se apostas. E sempre a mesma tecla, sempre o mesmo palpitar: um foguete? Três foguetes?

Nisso, dentro do Paço, há um férvido corre-corre. Os cortesãos precipitam-se avidamente em volta dum homem que entra, o vulto do Dr. Guimarães Peixoto, médico imperial. O velho cirurgião carrega nos braços qualquer coisa... E o povo, espicaçado, num anseio:

— Será? Será?

Era! Era a criancinha que nascera... E eis que, chamejando, uma súbita girândola risca o céu: e um grande estrondo fura o silêncio estrelado. O povo, os olhos no alto, freme. Será princesa. Um momento de ansiedade... Não! Não era princesa: nova girândola espouca estrepitosamente no ar. E logo outra, a terceira, a última, a do príncipe herdeiro!

Desencadeia-se pela turba um vendaval frenético. Algazarra bravia, chapéus no ar, grossa barulheira infernizante. Príncipe! Príncipe! Viva! E em meio a esses júbilos furiosos, na noite chagada de astros, a fortaleza de Santa Cruz, com um retumbar solene, dispara majestosamente, um por um, os 101 tiros da salva imperial.

Nascera o herdeiro do trono.

* * *

D. Pedro, perdido de contentamento, marcou para este mesmo dia a apresentação do príncipe à corte. Céus, que alvoroço!

São três horas. Um dia glorioso, tropical. Tudo ri. O Paço faísca. As bandeiras trepidam risonhamente ao sol. Folhagens. Tufos de flores. Galhardetes. Os arqueiros, com o tope verde e amarelo, perfilam-se ao longo das escadarias. Todos os criados agaloados de primeira gala. De instante a instante, estacando com estrépito, as carruagens despejam nomes retumbantes. Os salões fervem. Risos em toda boca. Um tom de festa, um magnetismo vívido pelo ar. Ah, um príncipe! E as damas grulham numa tagarelice vivaz. Num canto, junto à consola de ébano, a Senhora Marquesa de Aguiar, camareira-mor, está rodeada de emproadíssimas fidalgas. É a Viscondessa de Paranaguá, é a Baronesa dos Goitacases, é a Senhora Carvalho e Melo, ministra dos estrangeiros, é D. Mariana Laurentina da Silva e Sousa Veloso de Barbuda... E que crivar de perguntas!

— É grande, Senhora Marquesa, é?

— Enorme! Pesou oito libras...

— Oito libras! Jesus! E é bonito?

— Nem fale! Muito moreninho. Tem uns olhos deste tamanho! É a cara do pai...

Nisso, um súbito rumor. Sousa Lobato, porteiro imperial, brada alto:

— Alas! Alas!

Todos abrem alas. Um instante de comovido silêncio. O Marquês de Jacarepaguá, reposteiro-mor, suspende a tapeçaria de veludo. D. Pedro I entra. Ao lado de Sua Majestade, radioso e empavonado, o General Lima e Silva, camareiro da semana. O gentil-homem, baboso de felicidade, todo riso e glória, traz nos braços o pequerrucho. Que lindo! É um bebê molengo, enevoado de gazes e de fitas, muito gordanchudo, uma rica touquinha de seda rosa, babador finíssimo de rendas, a chupeta com a argolinha de ouro... Nada mais delicioso! A corte inteira finca olhos ávidos na criancinha. Ali está, cercado dos Altos Dignitários, aquele que vai ser o rei... Ali está naquele pedaço de gente, naquele anjo trigueiro, redondinho, aquele que vai ser, na História, o vulto inconfundivelmente superior de D. Pedro II, o monarca republicano, o mais culminante dos brasileiros.

E D. Pedro? É de ver-se o júbilo entontecido de Sua Majestade! D. Pedro ri-se! E ri-se à toa, ri-se com um riso alagado de gozo. Um filho! Ah, bem sabe o pai ditoso que, naquela pequenina fronte, galantemente afundada na touquinha de seda, irá refulgir um dia, majestosa e nobre, a coroa do novo Império que ele criara na América! E D. Pedro ri-se...

★ ★ ★

9 de dezembro. Um séquito estrepitoso corta galhardamente as ruas formigantes de povo. Marcha à frente um garboso piquete de lanceiros. Depois, tirado a oito, o coche imperial. Nele, em grande gala, vem D. Pedro I. Ao lado de Sua Majestade, refulgindo nas suas sedas negras, D. Mariana Carlota Verna de Magalhães, Condessa de Belmonte. A velha dama traz ao colo o príncipe herdeiro, perdido em rendas, muito recamado de laçarotes. Atrás do coche, floridas e douradas, passam as berlindas das princesinhas. Que bonecas de luxo! É D. Maria da Glória, com seu vestido balão, tufado como o das altas fidalgas. É D. Francisca, toda de seda pérola, uma plumasita esvoaçando no coque. É D. Januária, leve e decotadinha, luvas de oito botões, um gracioso leque de marfim e ouro... E o séquito passa. São as carruagens dos camareiros. É a sege do Sr. Visconde da Cunha, Mordomo-Mor da Imperatriz. É um vistoso quadrado de lanceiros, com as flâmulas palpitando nos piques.

No Paço da cidade, garrida e refulgente, a corte aguarda com ânsia o Imperador. Vai pelos salões um redemoinhar de sedas e veludos, casacas e fardões, becas e dragonas. Tudo a fulgir, a palpitar! É que nesse instante, com solenes protocolos, vai realizar-se o batizado do herdeiro do trono.

Forma-se o cortejo. Do Salão Encarnado, aristocrática e fulgurante, ondula a procissão faustosa até a Capela Imperial. Quatro girândolas, estrelejando no ar, anunciam que o cortejo partiu. O povo, que entope a Praça, desanda em berros:

— Viva o Príncipe!

E o cortejo lá vai. O protocolo é rigoroso. Sua Majestade à frente. De lado, muito cônscias e aprumadas, as princesinhas. Depois os Ministros. Depois os Diplomatas. Depois os Conselheiros de Estado. Depois os Grandes do Império. Depois a Nobreza. Seguem-se três gentis-homens da Imperial-Câmara, levando as insígnias. Um traz a vela; outro, a candeia; outro, o maçapão. Enfim largo e vistoso, o

Retrato de D. Pedro II com um ano de idade
Debret

pálio de seda escarlate. Sustêm-no seis Altos Dignitários. Debaixo dele, carregado mimosamente pelo Visconde da Cunha, mordomo da Imperatriz, a criaturinha galante.

E o bando lá vai. Corta os salões, atravessa o passadiço, alcança a Capela Imperial. D. José Caetano, o Bispo-capelão, cercado de cônegos, mitrado, o báculo na mão, recebe à porta, aparatosamente, o Imperador e as filhas. E a corte entra...

— Lindo! A Capela é um brinco. O ar trescala a rosas. E que faiscação! Ouros, pratas, candelabros, seiscentas luzes acesas! D. Pedro ajoelha-se. A corte inteira ajoelha-se. Rompe, no coro, a música do Padre José Maurício... Findas as orações, o Imperador senta-se no trono. A corte, segundo a etiqueta, toma os seus lugares. E o Bispo-capelão, formalizado e grave, realiza o ato. O padrinho é São Pedro de Alcântara. A madrinha é D. Maria da Glória, irmãzinha do príncipe, a futura rainha de Portugal. E o senhor Bispo capelão põe o sal. Põe os santos óleos. Derrama, com a concha de prata, a água sagrada na cabecita peluda: o pequerrucho faz uma careta e choraminga alto, sentidamente... Todos riem! E o lindo príncipe, ali na pia, solenemente, pomposamente, recebe os nomes de:

D. Pedro de Alcântara, João Carlos, Leopoldo, Salvador, Bibiano, Francisco, Xavier de Paula, Leocádio, Miguel, Gabriel, Rafael, Gonzaga.

Sobem aos ares, de repente, seis girândolas. Estruge lá em baixo uma gritaria ensurdecedora. Viva! Viva! Os sinos carrilhonam, rompem músicas, estrondos de morteiros, as fortalezas salvam a salva de 101 tiros!

Está batizado o filho do Imperador.

* * *

26 de agosto de 1826. A Assembléia Legislativa reuniu-se numa sessão das mais grandiosas. Presidência do Visconde de Santo Amaro. Todos os senadores presentes. Todos os deputados presentes. As galerias transbordam. Muitas flores. Muitas bandeiras. Muitos galhardetes. Súbito, lá fora, um áspero rodar de coches. Rufam caixas. Clarins. A assembléia

inteira ergue-se. E no recinto, fuzilante, os fardões recamados de borda-duras, surgem os Ministros. No meio deles, empertigado e rígido, casa-ca de riço verde, o Coronel Francisco de Castro Canto e Melo. O pai da Senhora Viscondessa de Santos traz nos braços, honradíssimo, o prín-cipe herdeiro. D. Pedro II é um toquinho de gente, nove meses apenas, muito corado, a chupeta na boca, um guizo de ouro na mão.

Canto e Melo sobe o estrado da presidência. E lá de cima, com um sorriso de glória, apresenta o menino à Assembléia. O Ministro do Império, alto e grave, exclama:

— Senhores representantes da Nação! Eis aqui Sua Alteza o Prínci-pe D. Pedro de Alcântara, filho varão de S. M. Dom Pedro I, Imperador Constitucional do Brasil, e de S. M. Dona Maria Josefa Leopoldina, Imperatriz, sua Mulher, Arquiduquesa da Áustria: reconhecei-o nos termos constitucionais!

O Barão de Santo Amaro, estendendo a mão:

— De acordo com o artigo 117, capítulo 4.º, título 5.º da Consti-tuição brasileira, nós, em nome da Nação, reconhecemos a D. Pedro de Alcântara, Príncipe Imperial, como herdeiro e sucessor do seu Au-gusto Pai no Trono e na Coroa do Brasil.

E todos os congressistas, as mãos estendidas, a voz forte:

— Reconheço!

Rompe o hino nacional. Sobem girândolas. Salvas, Vivas, berrei-ros uivantes da multidão.

Das galerias, num chuveiro, rodopiando, tombam flores de toda cor, muitas flores, muitas flores... E o herdeiro do trono, aquele peque-nino gordo, olhando as flores que caem, tão bonitas, sorri ingenua-mente dentre as rendas do seu vestido novo, enfeitado de rosinhas...

A nobreza no Rio de Janeiro
Henry Chamberlain

O COMENDADOR

*L*UÍS RIBEIRO DOS GUIMARÃES PEIXOTO, filho do Dr. Guimarães Peixoto, o grave Barão de Inhomerim, médico da Imperial Câmara, era aí por 1833, um rapazinho sem relevo, tinha catorze anos raquíticos, estudava humanidades num internato de Paris.

Certo domingo, saindo a passeio, quis o menino, por ingênua fanfarronice, estadear importância e proa ante os seus camaradas de estudo: dependurou na farda de colegial uma ostentosa condecoração do hábito de Cristo.

Riram-se os rapazes, à farta, de tão velhaca peraltagem, imaginando logo os apuros em que andaria o pai, o velho Guimarães Peixoto, para descobrir no Brasil o paradeiro da dignificante mercê. E saíram todos, num farrancho gaiato, grulhando como baitacas palradeiras...

Na Praça da Concórdia, porém, ao desembocarem nos Campos Elíseos, um guarda civil pôs reparo naquele rapazola, franzino, o mais enfezado do bando, em cuja farda chamejava a bela venera de honra. Deteve imediatamente o curioso sujeitinho. E apontando-lhe o peito:

— Que é isto?

— Uma comenda do hábito de Cristo. É minha...

O guarda nem pestanejou: arrebanhou o farcista para o posto da circunscrição. Aí, diante do comissário, o estudante franziu o sobrolho, encarou-o frente a frente, bradando firme e ríspido:

— Esta comenda é minha. Há oito anos que eu sou comendador!

A autoridade soltou uma gargalhada retumbante.

— Há oito anos? Então, pelo que vejo, o fedelho tinha seis anos quando foi agraciado?

— Seis anos, retorquiu o pirralho com ar severo: e se não acredita, faça o favor de averiguar o caso na Legação do Brasil. Vá ao ministro, diga quem eu sou, verifique se estou mentindo.

O comissário foi. O caso era estranho, beliscante, jamais visto em Paris. Carecia deslindar aquilo.

Horas depois, quando voltou, o comissário desmanchou-se em desculpas. E então, todo mesuras e rapapés, acompanhando o colegial até a porta da saída, assentiu, muito maneiroso, a que aquele toquinho de homem partisse por Paris afora com a comenda de Cristo fuzilando no peito...

Como isto? Um comendador aos seis anos? No Brasil? Sim, senhores! No Brasil. Eis a história:

$$* * *$$

Passa de meia-noite. No Paço de S. Cristóvão, apesar de hora tão morta, há muita gente acordada. Vultos cautelosos, pisando no bico dos pés, trançam sutilmente pelos corredores. Vai pelo ambiente uma ânsia, um fremir; anda por todos uma opressão que angustia. Na "Sala Encarnada", onde os tocheiros de prata acendem fogaréus crepitantes, D. Pedro passeia agitado, as mãos atrás, numa irascibilidade que lhe morde os nervos.

Correra-lhe o dia tumultuoso, atordoante, num torvelinho de festas. Fora o primeiro de dezembro, aniversário da Coroação. O Paço da Cidade, vistosamente enguirlandado de bandeiretas, escancarara os amplos salões para o beija-mão protocolar. E dentro deles, mesureira e palaciana, desfilara a corte inteira, aquela faustosa e garrida corte do Primeiro Império, com as damas e camareiras farfalhando sedas pesadas, com os altos dignitários empertigados nas casacas de riço verde.

A Imperatriz fora a única pessoa que não comparecera aos festejos. O seu estado não permitia exibições: Sua Majestade estava para toda hora.

E exatamente naquela noite — quem diria? — logo depois que amorteceu tanta ruidosidade, a Quinta da Boa Vista alarmara-se de súbito.

Seriam dez horas. D. Francisca de Castelo Branco, camareira efetiva, correra desabalada aos aposentos do Imperador. Ribeiro Cirne, guarda-roupa de serviço, atendeu-a.

E logo, afobado, precipitou-se nos aposentos do Imperador. D. Pedro, mal escutou a palpitante notícia, ergueu-se dum salto, trêmulo.

— E o médico?

— Já está no Paço o Dr. Guimarães Peixoto.

Já se haviam, depois disso, escoado duas horas seculares, martirizantes, dolorosas demais para a sofreguidão daquele monarca impetuoso.

E D. Pedro, as mãos atrás, nervoso, vagueia agitadamente pela "Sala Encarnada". Num canto, solitário e plácido, cabelos brancos, o Padre Boiret, confessor da Imperatriz, desfia resmungando as contas do seu terço. Em frente, num ângulo da janela, o Barão de Mareschal, ministro diplomático da Áustria, que tinha morada no Paço, o amigo íntimo e fiel de D. Leopoldina masca soturnamente as pontas do bigode, numa exacerbação. A Marquesa de Aguiar, camareira-mor, com seu vestido de gorgorão negro, uma grossa afogadeira de brilhantes ao pescoço, conversa aos cochichos, muito interessada, com a Senhora Condessa de Belmonte, aquela distintíssima dama que teve a honra de ser chamada ao Paço como preceptora da criança que ia nascer.

Quem era a Condessa de Belmonte?

Era D. Mariana Carlota Verna de Magalhães. Era a pessoa mais circundada e mais acatada no Paço, depois dos imperadores e dos príncipes. O marido, que viera com D. João VI, sendo então moço da

Real Câmara, tivera uma morte curiosa, largamente comentada na corte. Apesar de muitíssimo doente, a arder em febre, Verna Magalhães, rastejante servidor da etiqueta, timbrara em comparecer a certa missa que se rezara em ação de graças pelo restabelecimento de D. Pedro. Vestiu o seu fardão de gala, espremeu o pescoço num colarinho de palmo, abrolhou o peito de insígnias, surgiu faiscante na igreja da Glória. No momento exato da elevação, quando ia mais rígido o silêncio pela nave, o cortesão desabou com estrondo no lajedo.

Que foi? Verna de Magalhães, vítima dos rigores do protocolo, estourara de uma apoplexia cerebral!

D. Mariana Carlota, mais do que nunca, foi então carinhosamente protegida pelo imperador. Teve sempre, na corte de D. Pedro, o mesmo destaque brilhante que já tivera na corte de D. João VI. E era, realmente, uma senhora de virtudes altíssimas. Moça e bela, ilustre pelo nome e pelo talento, cortejada e adulada, condessa com aposentadoria no próprio Paço, a viúva Verna de Magalhães, nesses tempos de costumes fáceis, deixou a memória de ter sido a mais honesta e mais inatacável das fidalgas do seu tempo. Nada mais a calhar, portanto, que fosse a ilustre dama quem recebesse a honra de ser preceptora do futuro príncipe.

E naquela noite, a cochichar com a camareira-mor, D. Mariana espera o desenrolar dos acontecimentos. D. Pedro, num crescendo de nervos, continua a andar dum lado para outro, vibrando, o coração disparado. Nisso, erguendo o reposteiro, surge o Dr. Guimarães Peixoto, avental branco, mangas arregaçadas. D. Pedro correu para o médico.

— Então, doutor? Então?

— Tudo normal. Pode Vossa Majestade sossegar. Não há incidente, nem complicação. Mais um pouquinho de paciência; terá logo Vossa Majestade um novo príncipe nos braços...

D. Pedro, que foi sempre pai amorosíssimo, abre um sorriso de puro gozo. E num alvoroço, infantilmente:

— O seu palpite, doutor?

— Para mim, desta vez, é homem... Para mim, não resta dúvida, é príncipe...

— Príncipe?

D. Pedro, só com a idéia, todo numa alegria borbulhante, bate forte nos ombros do médico:

— Pois se for homem, meu caro doutor, pode vossa mercê pedir aquilo que entender: está concedido!

O Dr. Guimarães Peixoto ri-se:

— Tenho a palavra de Vossa Majestade!

E sai, com uma reverência, para acudir à imperatriz.

* * *

Um homem! Um príncipe! O herdeiro da coroa! Ah, era o desejo mais aguilhoante de D. Pedro, a ambição que ferreteava mais fundamente a sua vaidade de imperador! Os Braganças, era sabido, tinham esta fatalidade na sua casa: morriam-lhes os primogênitos. O próprio D. Pedro já sentira a chicotada dessa desgraça. Nascera-lhe um filho homem: D. João. Mas este falecera, quando arrebentou a revolta da divisão auxiliadora. Nos dias negros em que Jorge de Avilez ameaçava D. Pedro com as suas bocas de fogo, D. Leopoldina, assustada embrulhou às pressas o filho e partiu numa correria para a fazenda de Santa Cruz. A viagem foi desastrosíssima. Por causa dela, dias depois, via D. Pedro morrer o herdeiro da sua coroa. Ficou-lhe só D. Maria da Glória. E os outros filhos, que vieram mais tarde, por aquela fatalidade brutal, foram sempre mulheres: D. Januária, D. Paula Mariana, D. Francisca.

Conta um livro velho, um desses livros esburacados que nos transmitem lendas e coisas delidas, a razão desse infortúnio. Assim:

"É a tradição na ordem (de S. Francisco) que indo um leigo franciscano pedir esmola a D. João IV, rei de Portugal, ainda sendo Duque de Bragança, em um dia que se achava de mau humor, impacientando-se, despediu o pobre leigo, dando-lhe um pontapé na canela. Ressentido o frade da sem-razão com que fora molestado, rogou-lhe a seguinte praga: que a sua descendência nunca passaria pelo primogênito; e os que lhe sucedessem haveriam de ter na perna o mesmo sinal que produzira o ponta-pé — coisa que aliás se realizou sem exceção de Bragança algum.

"Como arrependimento, fez D. João IV, já rei de Portugal, o seguinte voto: que todos os membros de sua família e descendência não só seriam apresentados aos altares da ordem mendicante de S. Francisco, como assistiriam em pessoa às festas do patriarca S. Francisco e teriam no convento desta ordem as suas sepulturas.

"El-rei D. João VI e o imperador D. Pedro I procuraram sempre cumprir esse voto dos seus maiores, porque, perdendo os seus primogênitos, viram realizados os prognósticos do franciscano; então, acrescentaram sempre a esmola de 600$000 para ajutório na festa do Patriarca, vindo assistir a ela e jantar em comum no refeitório, com os frades."

* * *

Nada mais explicável, portanto, do que aquela ânsia com que D. Pedro esperava a criaturinha. E a andar de um lado para outro, opresso, com um forte nervosismo, pintado no rosto, o monarca estacava, de quando em quando, em frente à camareira-mor:

— E a ama?

A Marquesa de Aguiar repetia as explicações já dadas. A ama era Catarina Equery, uma suíça, rapariga sólida, trazida de Friburgo. Havia um mês que estava instalada no Paço. É verdade que até agora, com surpresa de toda gente, a Equery ainda não dera à luz. Mas era coisa para toda hora, talvez para hoje mesmo. Por isso, enquanto se esperava, Madame Protte amamentaria a criança por uns dias. Estava tudo pronto, tudo providenciado; Sua Majestade que não se inquietasse...

D. Pedro ouvia, cruzava as mãos nas costas, continuava a passear...

De repente, com brados de júbilo, o Dr. Guimarães Peixoto entrou. Vinha iluminado, uma alegria louca por todo ele, carregando triunfalmente o recém-nascido:

— É príncipe, Majestade! É príncipe!

D. Pedro voou ao encontro do médico. Agarrou alucinadamente naquele bolo de rendas e laçarotes, ergueu a touquinha de fitas, cravou uns olhos sôfregos no pequerrucho.

— É homem? É homem?

Radioso, emocionadíssimo, sem poder refrear-se, o imperador desandou a beijar perdidamente o principezinho, chorando aos borbotões, sufocado pela mais embriagadora das felicidades. Que contentamento o que estourou pela "Sala Encarnada"! Correram todos, barulhentos, rindo às tontas, em torno da criancinha. D. Mariana Carlota, o Barão de Mareschal, o Padre Boiret, a Marquesa de Aguiar, um tumulto de camareiras, de açafatas, de retretas, de guarda-roupas, de moços da câmara, tudo a grulhar, tudo festivo, tudo com um sorriso irreprimível nos lábios, tudo a acompanhar o júbilo enternecido do imperador.

Mal sabia D. Pedro I, naquele instante, naquele transbordar de felicidade egoística, que aquele cariocazinho rechonchudo, aquele pedaço de gente que dormitava nos seus braços, não ia ser apenas o continuador da sua dinastia na América: ia ser também o maior e o mais glorioso dos brasileiros. Ali estava, vermelho, redondinho, aquele que devia ser, no Brasil, o homem que nunca teve uma fraqueza, o caráter que nunca teve uma falha, a individualidade que nunca teve uma descaída. Sábio, honrou a ciência; cidadão, honrou a pátria; rei, honrou o cetro.

O Dr. Guimarães Peixoto tinha a palavra do imperador. Podia pedir tudo o que quisesse. Mas o médico foi modesto. Solicitou apenas — que caprichosa fantasia! — uma comenda do hábito de Cristo para um filhinho de seis anos. D. Pedro sem titubear, agraciou o petiz. Fez mais: mandou-lhe a comenda numa caixa de xarão incrustada de prata.

E foi assim que aquele empertigado estudantezinho de Paris, Luís Ribeiro dos Guimarães Peixoto, pôde afirmar petulantemente ao comissário que o prendera:

— Esta comenda é minha. Há oito anos que eu sou comendador!

A SÉ-SÉ

O HOMEM SALTOU DA SEGE, pagou duas patacas ao boleeiro, despediu-o. Depois, com ar de mistério, galgou as escadarias do Paço. Lá em cima, à porta da secretaria, ergueu discretamente o reposteiro:

— V. Excia. dá licença?

O secretário, abancado à escrivaninha, ergueu os olhos dos papéis que lia. E, com indiferença:

— Entre!

O homem entrou. Fez um polido aceno de cabeça. E:

— V. Excia. é o Sr. Comendador Francisco Gomes da Silva, secretário do Imperador?

— Sou eu mesmo!

— Nesse caso, Sr. Comendador, é mercê avisar a Sua Majestade que eu acabo de chegar do Reino com despachos...

— Do Reino?

— Do Reino. Trouxe despachos graves de Lisboa. Eu sou o Capitão Trigoso Madureira.

O Chalaça ergueu-se dum salto. Despachos de Lisboa? A D. Pedro? Aquilo espicaçou o secretário. Mas logo, muito adocicado, apontando uma poltrona:

— Oh! Sr. Trigoso, muito prazer! Queira sentar-se, Capitão. Faça o favor! Queira sentar-se...

O recém-chegado sentou-se. E o Chalaça, afável e pressuroso:

— O Imperador não está no Paço. Mas é fácil para mim o entender-se com Sua Majestade. O negócio que trouxe V. Excia. até cá é urgente?

— Urgentíssimo, Comendador. Urgentíssimo e gravíssimo. É, talvez, o negócio da mais alta importância que já teve o Imperador!

— Sendo assim, Capitão, peço licença para ir comunicar sem tardança a chegada de V. Excia. a Sua Majestade. O Capitão terá a bondade de esperar-me aqui na secretaria...

— Pois não, Comendador! Esperarei de muito bom grado.

O Chalaça desceu a quatro e quatro as escadarias. E embaixo, saltando para dentro da sege:

— Casa da Sé-Sé!

* * *

O cocheiro chicoteou a parelha. Atravessou a cidade e enfiou-se pela Rua dos Ourives. Ali, em frente, a loja do Wallenstein, por esse tempo, era a casa em voga na Corte. Era quem dava a suprema nota da elegância e chiquê. Não havia fidalga de tom que não fizesse as suas compras no Wallenstein. Não havia casquilho que não se vestisse no Wallenstein.

Ah, o Wallenstein & Cia.!

O "Cia." da firma era um tal Pedro Saissait, francês, homem, no dizer simplório do cronista, manso e pacífico de gênio. A mulher dele — Clemência Saissait — deslumbrava por esse tempo a corte.

A Sé-Sé... Era uma francesa realmente fascinadora, muito requintada em vestidos, grandes ares. O Rio ainda não tinha visto olhos mais verdes, nem cabelos mais crespos, nem boca mais sangrenta, nem talhe mais espiritual. E os dentes? E as mãos branquíssimas? E a vozita clara, muito doce, por onde escorria mel? Que maravilha! Uma criatura estonteante...

D. Pedro conheceu os Saissait. E como Imperador bonacheirão, monarca democratíssimo que sempre foi, o soberano dava-lhes a honra de visitá-los a miúdo. Isso (nada mais natural) projetou no casal uma evidência retumbante. E começou desde então, como por milagre, o êxito tremendo dos franceses.

Mas o Saissait, homem que não pregava prego sem estopa, conseguiu logo um decreto, referendado pelo Primeiro-Ministro, conferindo à sua casa comercial a mercê de: fornecedora imperial.

E um dia — oh, surpresa! — os tafuis da Rua do Ouvidor pasmaram. É que, na loja do francês, amanheceu uma tabuleta nova, com letras ostentosas, dizendo isto: "Wallenstein & Cia., FORNECEDORES DE S. M. O IMPERADOR". Quê? O Saissait fornecedor de D. Pedro? E todo o mundo riu...

Ora, naquele dia, o Chalaça embarafustou pelo sobradão da Sé-Sé acima. Sua Majestade, como de costume, lá estava. O Sé-Sé como de costume, lá não estava. Mr. Sé-Sé era um comerciante ocupadíssimo!

D. Pedro acolheu o favorito com espanto:

— Que há, Chalaça?

— Acaba de chegar do Reino um emissário. Traz despachos urgentíssimos de Lisboa. O homem está no Paço à espera de Vossa Majestade...

D. Pedro Virou-se desconsolado para a francesa:

— Tenho de partir! Veja que aborrecimento! Não há nada mais detestável do que este ofício de Imperador...

E ela com um arzinho de mágoa, muito provocadora:

— Já? Que pena! Mas Vossa Majestade volta amanhã, não volta?

— Volto!

E Sua Majestade abalou para o Paço.

D. Pedro recebeu o curioso emissário. O homem entrou muito respeitoso. Tinha o aspecto estranho. E com solenidade:

— Sou portador de notícia dolorosa: el-Rei, o Senhor D. João VI, nosso Augusto Amo, faleceu em Lisboa...

D. Pedro estremeceu, chocado. Aquilo foi-lhe uma estocada. E agarrando o mensageiro, sacudindo-o:

— Meu Pai? Meu Pai morreu?

— Em Lisboa, Majestade, a 10 de março de 1826. E a regência, que ora governa o Reino, acaba de proclamar Vossa Majestade o legítimo herdeiro do trono: Vossa Majestade, neste momento, é o Rei de Portugal!

O Imperador, atordoado, os olhos fuzilantes:

— Eu?! Rei de Portugal?

— Rei de Portugal, debaixo do título de Pedro IV!

A notícia era estuporante. Mas D. Pedro, filho amorosíssimo, esquecido da inesperada realeza, com os olhos molhados:

— Mas de que morreu el-Rei? De que, Capitão? Que coisa brusca!

— Dizem que foi veneno...

— Veneno?

— Sim, Majestade...

E o emissário entre sigilos, narrou o que se murmurava em Lisboa... Em Lisboa murmurava-se que "no dia 9 de março, findo o despacho, o Rei tomou um caldo em presença da Princesa Maria Isabel e dos Ministros. Depois que o engoliu, S. M. pronunciou estas palavras: 'este caldo matou-me!' No dia seguinte 10 de março de 1826 — el-Rei D. João VI era cadáver. Na ante-sala, estava o médico Aguiar, quando passara o criado com a tal xícara de caldo. O médico chamou-o e lançou no caldo um líquido, como se fosse um remédio em proveito do Rei. O criado notou que o líquido, ao extravasar-se, fizera estragos no pano que cobria a mesa. O médico Aguiar, por sua vez, viu que o criado havia reparado: no dia seguinte, o criado amanheceu morto no seu quarto! Igual sorte teve o chefe da cozinha — o Caetano — que recusava dar a el-Rei uma empada de veado, como lhe pedira o mesmo médico Aguiar".

AS MALUQUICES DO IMPERADOR

* * *

Morreu o Rei, viva o Rei!

D. Pedro I, Imperador do Brasil, foi, durante oito dias, o rei de Portugal. Foi, durante oito dias, senhor de duas Coroas! Esses oito dias, febrentos e magníficos, deram a esse rapaz coroado, a esse galhardo imperador de romance, a mais alta, a mais estrondosa de todas as apoteoses. Hoje, em Lisboa, mesmo no coração da formosa cidade, lá está em bronze, glorificado, o vulto simpaticamente varonil de Pedro IV, o filho de D. João VI, esse curioso e irregular fundador do império brasileiro. Por quê?

Portugal cindira-se numa luta de morte. Luta feroz, luta que arrastou todos os portugueses de 1820. E as razões dessa fervura tinham uma causa só: a constituição.

Constituição! Eis a palavra mágica. A grande idéia! Os realistas, que eram a maioria, batiam-se de corpo e alma pelo regime absoluto. Os liberais, que eram a flor da intelectualidade, batiam-se com loucura pela carta constitucional. Os dois partidos extremaram-se. As paixões desencadearam-se com fúria. Espumejavam ódios. Os vencedores não poupavam vencidos. Eram incontáveis os foragidos. É nesse instante, no mais acirrado da crise, que morre D. João VI. A regência, depois de muitas hesitações, reconhece a D. Pedro como sucessor de D. João. Que é que faz o moço Bragança? Por um decreto — o primeiro decreto de D. Pedro IV! — outorga aos portugueses; fulminantemente, a carta constitucional! Dois dias depois, por um novo decreto, concede anistia ampla, incondicional, a todos os criminosos políticos! Três dias depois — estuporando os povos — abdica a coroa de Portugal na sua filha Maria da Glória! Não pode haver, na história dos povos, reinado tão curto e tão cheio: uma constituição — a suprema conquista do povo: uma anistia — o supremo perdão do político; uma abdicação — a suprema desistência do rei!

Assim, com três penadas, mudou D. Pedro a sorte dum país inteiro. E feliz, a alma leve, revolveu novamente à sua vida de imperador desordenado. Na noite mesma da abdicação, depois de lançar fora o reino que herdara dos seus maiores, o rapaz coroado, rindo-se, com o coração em festa, desceu brejeiramente as escadarias da Quinta, assobiando uma solfa gaiata. E quando o trintanário, chapéu na mão, fechava a portinha da sege, o imperador boêmio ordenou com alvoroço:

— Para a casa da Sé-Sé!

* * *

Aquela assiduidade junto à Sé-Sé continuou por largo tempo. Corria-lhe a amizade sem tropeços, florida e romanesca. Mas um dia, não se sabe por que, roncou na alma do Sé-Sé um tardio assomo de cólera. O homem preparou-se então para a tragédia. Saiu da loja, desceu à confeitaria do Carceller, abancou-se, pediu genebra.

— Focking, hein?

E emborrachou-se conscienciosamente. Aos cambaleios, agarrado a um grosso porrete de caviúna, o marido vingador entrou em casa. Clemência, muito vaidosa, diante do seu espelho dourado de Veneza, experimentava faceiramente um toucado de seda azul com pluma. O marido aproximou-se dela devagarinho, um riso satânico no lábio. Clemência continuava descuidosa, enfeitiçando-se... De repente, violento e brusco, o Sé-Sé desanda rijamente a caviúna na mulher! E foi um dia de juízo... O homem, esbravejando, iradíssimo, quebrou o espelho, espatifou os frascos do toucador, entornou as águas-de-cheiro, amarfanhou a mulher de pancadaria. A pobre Clemência uivava. O Sé-Sé dizia impropérios. Os criados acudiram aos berros. Um horror! Nisso, passando pela rua, um capoeira vagabundo ouviu a esquisita barulheira. Meteu-se logo pela casa adentro. Ao topar, lá em cima, com um homem a esbordoar desesperadamente uma mulher, saca do trabuco, e — lá vai fogo! — desfecha um tiro para o ar. Pânico! O Sé-Sé vocifera:

— Ai, mataram-me! Assassinos!

E sai, como um louco, à cata do ministro de França.

O escândalo estourou com retumbância. O Rio inteiro comentou a sova da Sé-Sé. O Rio inteiro deu gargalhadas. Foi, por todas as salas e salinhas, um motejar só...

Miguel Calmon, ministro de Estado, interveio sisudamente no caso. Era preciso acabar com aquilo! E acabar já, de qualquer jeito. D. Pedro concordou. E para evitar complicações, o monarca partiu para a Serra dos Órgãos, para o sítio do Padre Correia, enquanto o ministro determinava a saída imediata do casal bufo. Miguel Calmon teve habilidade. Apaziguou tudo com muito tato e arte. Assim:

Clemência, para consolo das suas lágrimas, recebeu, contra os Rothchilds, um cheque de setenta e cinco mil francos. Assentou-se mais que a ditosa francesa teria, para o resto da vida, uma pensão de seis mil francos.

Dias depois, a bordo do "Salisbury", zarpavam os Saissait para a Europa. João Loureiro, o anotador de todas as miudezas da Corte, escrevia então a um amigo de Lisboa: "Agora, foi o Imperador passar o Natal na Serra, devendo voltar no dia 27. Demorou-se o Paquete Inglês para sair, mas saiu a 30, levando o Guerreiro, como correio, com ofícios para Palmella e Barbacena. Também levou o Paquete M. e Mme. Sé-Sé que começaram a atrair as adulações da Corte pelo favor da beleza de Mme. Sé-Sé e 'pelo bom gênio do marido', que enfim pegou-a à unha por ajuste de contas e foram barra afora..."

✳ ✳ ✳

No dia 23 de agosto de 1829, em Paris, na Rua Bergére nº 7 bis, nasceu um menino. A este menino, estranhamente, foi dado o nome de Pedro de Alcântara Brasileiro. Era "filho de Pedro Félix Saissait, casado com Clemência Saissait, nascida Josefina Henriqueta Mees".

✳ ✳ ✳

Há, no testamento do Imperador, uma cláusula comprometedora. É a dos filhos naturais. Lá diz o nosso simpático Bragança e

Bourbon, "estando em meu perfeito juízo e saúde, declaro neste meu testamento...

....

....

....

Cláusula 5ª — Recomendo a S. M. Imperial, D. Amélia Augusta Eugênia de Leuchtemberg, Duquesa de Bragança, minha Adorada Esposa, que chame para o pé de si Minha querida Filha Dona Isabel Maria de Alcântara Brasileira, Duquesa de Goiás, bem como a Rodrigo Delfim Pereira e a Pedro de Alcântara Brasileiro..."

O BAILE
COR-DE-ROSA

Princesa Maria Amélia
Friedrich Dürck

Na Rua do Ouvidor, em frente ao Wallenstein, grandes caleches envidraçadas. Nas oficinas da casa elegante, entre modistas que alinhavam e chuleiam, vai um formigante entra-e-sai de damas fidalgas. E que tagarelar! É tudo assim:

— Vai hoje ao baile do Paço, viscondessa?

— Vou, marquesa! Mas foi um custo para eu ter o meu vestido! Não há mais seda cor-de-rosa. Vossa Excelência como se arranjou?

— Eu tinha já um corte que me viera do Reino. É aquele que lá está...

— Aquele cor-de-rosa de florzinha?

— Não! O cor-de-rosa desmaiado. Aquele cor-de-rosa de florzinha é o da Viscondessa de Rio Seco. E aquele outro, o cor-de-rosa vivo, de manga-presunto, é o da Marquesa de Valença, a Sousa Queirós. E o seu, viscondessa?

— É este, aqui, este cor-de-rosa chamalotado. Não é lá muito do meu gosto; mas, que fazer? Acabou-se toda a seda cor-de-rosa da cidade...

Acabara-se de fato. É que o Paço de São Cristóvão, nessa noite, abria os salões para o "baile cor-de-rosa".

O baile cor-de-rosa! Foi o mais rutilante, o mais famoso da época. A corte ofereceu-o a D. Amélia Eugênia Napoleona de Leuchtemberg, filha do Príncipe Eugênio, a lindíssima neta de Josefina Beauharnais, que havia chegado da Europa, apenas havia dois dias para ser a segunda Imperatriz do Brasil.

∗ ∗ ∗

A 11 de dezembro de 1826, faleceu no Rio de Janeiro a Senhora D. Leopoldina. Passou, na data lúgubre, aquela que foi a nossa grande Imperatriz. Aquela que foi a Boa e a Santa. Aquela que soube ter sempre, na glória e na desdita, nos triunfos e nas humilhações, a mesma plácida majestade da rainha, a mesma evangélica serenidade cristã.

Durante quase três anos, nos salões vazios de São Cristóvão, D. Pedro arrastou uma existência seca de viúvo. Era-lhe impossível, no entanto, permanecer na solidão desolante. Mil razões — razões de Estado, razões de família, razões de moralidade — clamavam aos brados por um segundo casamento. D. Pedro chamou Felisberto Caldeira Brant, o louro Marquês de Barbacena, o homem do seu enlevo, o fidalgo da sua paixão. Meteu-lhe nas mãos três cheques em branco contra os Rothchilds. Deu-lhe, além disso, ordens amplas para dispor de toda a legítima que herdara de D. João VI. Assim, com esse dinheiro e com essas ordens, mandou o embaixador para a Europa. E no abraço de despedida, aconchegando-o ternamente ao coração, pediu que lhe trouxesse uma noiva. Com o abraço, entregando ao diplomata um papel confidencial, o Imperador especificou as qualidades necessárias para que a noiva fosse do seu agrado. O papel dizia assim:

"O meu desejo e grande fim é obter uma princesa, que, por seu 'nascimento', 'formosura', 'virtudes', 'instrução', venha a fazer a minha felicidade e a felicidade do Império. Quando não seja possível reunir as quatro condições, podereis admitir alguma diminuição na 'primeira' e na 'quarta', contanto que a 'segunda' e a 'terceira' sejam constantes."

Levava o Marquês, além dessa missão honrosíssima, a incumbência não menos subida de acompanhar à Europa D. Maria da Glória, já então D. Maria II, rainha de Portugal, aonde ia aperfeiçoar estudos na corte de Viena.

* * *

Barbacena partiu. Alto e belo, tipo magnífico de homem, o gentil-homem de Minas ostentou durante meses, pelas mais emproadas cortes européias, a sua forte e simpática estampa de plenipotenciário. Jorge IV recebeu-o com grande acolhimento. Luís XVIII, com muitas e decididas deferências. Francisco Leopoldo, com as mais alevantadas honras e fulgores. Tratou, em Saint James, com o famoso Wellington. Em Paris, com o inofensivo Baron de Damas. Em Viena, com o perigosíssimo Metternich. Mas, tudo em vão! Naquele fulgente peregrinar de corte em corte, o diplomata brasileiro ouviu sempre, a cada investida de casamento, a mesma palavra humilhante, arrasadora: não! Bateu em todas as portas, sondou todas as casas reinantes, cortejou todas as princesinhas casadouras: e sempre, como refrão, a mesma frieza, o mesmo recuo, o mesmo não! Não houve filha ou sobrinha de rei, não houve moçoila, por mais vulgar, mas em cujas veias corresse um grânulo de sangue azul, que não recuasse desdenhosamente a mão do Imperador do Brasil! Foi uma vergonheira. As princesas da casa de Turim, as da Baviera, as de Wurtemberg, as de Nápoles, as da Sardenha, as dos Orleans, as de Holanda, as de... Céus! As princesas de toda a Europa disseram "não"! Ainda está por existir um soberano, na história dos povos, que sofresse, em matéria de casamento, tantos e tão categóricos vexames! Vocês, rapazes, que acaso já tiveram a dor de ouvir uma recusa da mulher amada, não se desalentem: consolem-se com o Imperador do Brasil, o Fundador do Império, o homem que levou na vida as maiores e as mais escandalosas tábuas!

Barbacena desanimara, enfim, com aquela enfiada de fracassos tristíssimos. E arrasado, a pena em crepes, tracejou ao Amo a carta fúnebre:

"Brilhante casamento, no estado atual das coisas, não se consegue sem tempo, paciência, e muita desteridade, visto que princesas só há presentemente na Alemanha, onde a influência de Metternich é decisiva. Digo que só há na Alemanha, porque as da Itália se recusaram; na França, Grã-Bretanha e Rússia não há; na Dinamarca, são horrendas; e o parentesco da Suécia não convém. É preciso parecer, em suma, que se não pensa por ora em casamento..."

Foi nesse instante de suprema derrota, que, providencialmente, o Visconde Pedra Branca, ministro em Paris, lançou as suas vistas sobre uma sobrinhazinha do Rei da Baviera. Tratava-se da princesa Amélia Eugênia Napoleona de Leuchtemberg. A moça era linda, lindíssima. Mas (verdade se diga!) não primava muito pelo sangue. D. Amélia era apenas meia princesa. Vinha do príncipe Eugênio de Beauharnais, a quem Napoleão Bonaparte, no auge do fastígio, fizera casar com uma grã-duquesa da Baviera. Descendia, portanto, burguesissimamente, daquela Josefina de Beauharnais, aquela tão falada "brune" que a boa fortuna guindara às culminâncias de Imperatriz dos franceses. Estava longe, portanto, de ser um casamento brilhante. Mas, que fazer? Foi tudo o que se pôde conseguir... Pedra Branca teceu os pauzinhos. E Caldeira Brant agarrou-se de unhas e dentes à rapariga que tão audaciosamente se arriscava a ser Imperatriz do Brasil...

Arranjaram-se os papéis. Liquidou-se tudo num relâmpago. E a 16 de outubro de 1829, na baía do Rio de Janeiro, ancorava a fragata "Imperatriz". Nela — enfim! — trazia o Marquês de Barbacena a suspirada noiva do Sr. D. Pedro I.

O plenipotenciário gastara nessa missão 177.738 libras, 19 shillings, 10 pence. O que vale dizer que, nesses remotos tempos (em que se comprava a melhor casa da Rua do Ouvidor por um conto), Barbacena dispendera, na pesca da noiva para D. Pedro I, a soma fabulosa de três mil contos de réis!

MARQUÊS DE BARBACENA
Felisberto Caldeira Brant Pontes

Imperatriz Maria Amélia
Friedrich Dürck

AS MALUQUICES DO IMPERADOR

* * *

A galeota imperial, com as cores amarelo-verde tremulando à popa, estacou diante da fragata "Imperatriz". D. Pedro, com mordente sofreguidão, galgou a quatro e quatro a escadinha de bordo. Ferreteava-lhe um desejo insopitável de conhecer a noiva. Como seria D. Amélia? Bonita? Feia? Barbacena, com tubas altissonantes, apregoara rasgadamente a formosura da Beauharnais. A última carta dizia assim:

"A Imperatriz é linda, lindíssima, como V. M. verá pelo retrato que vai nesta ocasião. Até aqui foi sobre o testemunho de outros que tenho dado a V. M. notícias de sua augusta noiva. Hoje, dá-las-ei fundado no testemunho próprio e na minha convicção. É indubitavelmente a mais linda princesa e mais bem educada que, presentemente, existe na Europa! E quando eu a vi emparelhada com as primas, que foram primeiramente pedidas, dei muitas graças a Deus de haver V. M. escapado daqueles casamentos."

Nem só ao Imperador escrevera o diplomata tão reboantes afirmações. Ao Chalaça, pelo mesmo correio, bradava Barbacena com a mesma efusão:

"Prepare-se V. S. para ver um anjo na Imperatriz. Formosura, juízo, virtudes, maneiras polidas, tudo enfim, que há de mais amável, está reunido nesta princesa..."

Assim, pois, ao subir a escadinha de bordo, o coração do viúvo bate aos saltos. Os marinheiros, uniformizados de gala, estendem-se em alas pela ponte. O Imperador, os nervos tinindo, atravessa por entre aquelas continências, debaixo do estrépito do hino.

D. Pedro penetra no salão da fragata. E eis que, ao lado de Barbacena, de pé, sorri brejeiramente, luminosamente, uma criatura doce, muito loira, magnífico Sèvres de luxo! É D. Amélia. Que maravilha! A neta de Josefina Beauharnais herdara, com o sangue atávico da francesa, todas as graças e feitiços da raça: fina, leve, elegantíssima, mulher-pétala, uns olhos muito quentes, uns cabelos muito crespos, um sorriso muito cândido, e, com os seus dezessete anos, viçosos e frescos, é toda ela uma orvalhada primavera de carne.

D. Pedro, por um instante, contempla emocionadíssimo aquele poema de linhas. Contempla, com essa cúpida volúpia de joalheiro, os fúlgidos detalhes daquela jóia perfeita. De repente, sem saber como, o Imperador sente estranha névoa toldar-lhe a vista. A cabeça roda-lhe. As pernas afrouxaram. E D. Pedro — oh fraqueza! — tomba sobre uma poltrona, pesadamente, sem sentidos...

Cinco minutos depois, ao voltar da tonteira, o Imperador vê ao pé de si, muito loira e muito fina, D. Amélia acariciando-lhe as mãos com o mais veludoso dos afagos...

E pôs-se, então, a beijá-la como louco.

No Paço de S. Cristóvão, depois da bênção nupcial, o Imperador apresentou os filhos a D. Amélia. Foi uma cena encantadora. A deliciosa Beauharnais, com afetuosidades de comover, toda macieza e ternura, cobriu de carinhos longos, inundou de beijos e de abraços, maternalmente, as princesinhas e o príncipe herdeiro. D. Pedro sorria, feliz. Mas em meio àqueles mimos, quebrando aquele transbordar de galantezas, o Imperador, o eterno irrefletido, virou-se com singeleza para a Marquesa de Itaguaí, que assistia comovidamente ao quadro:

— Minha boa Francisca! Vá buscar a Duquesinha de Goiás...

Aquela ordem foi um choque! D. Amélia estremeceu. Secou-lhe bruscamente o riso no lábio. O seu olhar fuzilou, áspero. E com um gesto autoritário:

— Um instante, Marquesa!

A Marquesa de Itaguaí, que saía, estacou à porta. E D. Amélia, a voz fremente, o cenho cerrado, fitando o Imperador nos olhos:

— Majestade! Poupe-me a dor dessa apresentação. Eu quero ser a mãe dos filhos de D. Leopoldina. Mas "unicamente" dos filhos de D. Leopoldina. Eu não quero conhecer — nem sequer conhecer! — a bastarda da Senhora Marquesa de Santos...

D. Pedro ouviu, atônito. E D. Amélia, imperturbável:

— Peço a Vossa Majestade, portanto, que faça retirar imediatamente essa menina do Paço! É o primeiro pedido, Senhor D. Pedro, que a Imperatriz faz ao Imperador.

E sem esperar resposta, incisiva e ríspida, ordenou a D. Francisca:

— Marquesa! Vá avisar as açafatas que a Duquesa de Goiás deve sair já deste Paço. Que preparem as malas!

A Marquesa embasbacou. Não sabia o que fazer. Olhou aturdida para D. Pedro, suplicando uma decisão...

D. Pedro quase chorava. Mas, como recusar? Vencido, olhos no chão, balbuciou apenas, num cicio:

— Cumpra as ordens da Imperatriz, Marquesa...

A Duquesinha de Goiás, nessa mesma tarde, saiu enxotada do Paço de S. Cristóvão. Trasladou-se para Niterói, onde foi morar com as primas da Marquesa de Santos.

E foi assim, com esse gesto ferozmente rude, que estreou no Brasil aquela deliciosa Imperatriz de dezessete anos, fina e frágil, loira como uma boneca...

* * *

Os salões do Paço fervem. Anda por eles um redemoinho cor-de-rosa. Cor-de-rosa em tudo! Cor-de-rosa nas flores, cor-de-rosa nos enfeites, cor-de-rosa nas tapeçarias. Todas as damas vestidas de cor-de-rosa. Todos os cavalheiros com a banda cor-de-rosa a tiracolo.

D. Amélia, ao saltar de bordo, trouxera um soberbo vestido cor-de-rosa. Era a cor da sua paixão. E a Corte, por gentileza, oferecera à Imperatriz um baile cor-de-rosa. O próprio D. Pedro, por uma galantaria principesca, criara nesse dia a "Ordem da Rosa".

O Paço freme. Formigam nele os nomes mais altos do Império. Vai um áspero refulgir de jóias nos decotes e nas orelhas. Lampejam crachás em todas as lapelas. Súbito, reboa uma trompa. Sousa Lobato, porteiro imperial, anuncia com retumbância:

— Suas Majestades!

D. Pedro e D. Amélia entram. Um par garboso, fascinante. Ele, moreno, dois olhos negríssimos, um desgarre magnificamente varonil. Ela, muito clara, muito esgalga, um sorriso diáfano nos lábios, o diadema de pedrarias na fronte, vasta cauda de seda rosa, carregada por oito damas.

Todos abrem alas. Os imperadores avançam. E no salão, diante da curiosidade irrequieta dos cortesãos, D. Pedro faz um gesto ao guarda-jóias. O guarda-jóias apresenta à Sua Majestade uma caixa de xarão, embutida de ouro. O Imperador abre-a. Retira dela uma insígnia ricamente cravejada de brilhantes enormes. É a Grã-Cruz da Ordem da Rosa.

D. Pedro, com fina gentileza, passa o mimo às mãos da Imperatriz. E D. Amélia, docemente, com vencedora cortesanice, ali, diante de todos, dependura a Grã-Cruz no peito de Barbacena... Caldeira Brant embranquece. E trêmulo e ébrio de gozo, murmura às tontas:

— Oh! Oh!

A Corte inteira vibra. É uma apoteose. Mas aquilo dura um instante. D. Pedro, sem tardar, faz um gesto ao mestre-sala. A música rompe. É a quadrilha! Os pares agitam-se para a velha, a clássica, a queridíssima quadrilha. Tudo a postos! D. Pedro e D. Amélia vão dançar. Os Marqueses de Barbacena têm a honra de ser os vis-à-vis dos soberanos. E o mestre-sala, quando as filas cor-de-rosa se estendem ao comprido do salão, grita com entono:

— Attention!

Há um relâmpago de silêncio. E o mestre-sala, alto e solene:

— En avant, tous!

Francisco Gomes da Silva,
o Chalaça
Simplício Rodrigues de Sá

O CHALAÇA

O HOMEM CULMINANTE do Primeiro Reinado não foi José Bonifácio. Também não foi o Marquês de Barbacena. O homem culminante do Primeiro Reinado foi o Chalaça. Ninguém conseguiu no Império, durante aqueles nove anos desordenados, uma influência tão alta e tão decisiva. D. Pedro teve para com esse grotesco dizedor de piadas, para com esse seu disparatadíssimo amigo, umas ternuras imperdoáveis. O Chalaça fascinou-o. Foi o seu fraco. Foi, talvez, a única afeição certa daquele incerto Bragança. Daí, do favoritismo incrível, resultou que o poderio desse homem não encontrou limites. Num determinado momento — pode-se proclamar afoitamente — o valido mandou à vontade no Brasil. Conseguia tudo. Fazia e desfazia. Diga-se sem receio: o Chalaça, num dado instante, repartiu com D. Pedro o poder supremo. Não há exagero nisso. Armitage, testemunha presencial, historiador severo e reto, diz textualmente:

"O caráter dos políticos de que o Imperador se cercara não assegurava a confiança pública. À frente destes, estava um português de nome 'Chalaça'. Tinha um caráter bulhento, extravagante, insolente e dissipado. De simples criado do Paço foi promovido a ajudante da Guarda de Honra e Secretário Privado. E tão grande ascendência ganhou sobre D. Pedro, que se pode avançar sem rebuço que PARTILHAVA COM ELE A AUTORIDADE SUPREMA!"

Mas não é só Armitage. Todos os que trataram, nesse tempo, com o curioso personagem, apregoam a incontrastável influência dele. João Loureiro, que viveu pelas Secretarias de Estado, que conferenciou com todos os Ministros, que passou anos na Corte a deslindar negócios atrapalhados, afirma-o nas suas cartas, alto e firme. Eis uma delas:

"O Imperador disse-me que ele sempre estaria pronto para me ouvir. Mas, se quisesse, eu dissesse a Francisco Gomes QUE ERA O MESMO QUE TRATAR COM ELE".

Eis outra:

"He sabido que, nestes negócios de Portugal, quem se abaixa a Francisco Gomes, quem vai com as suas chalassas, e quem o ellugia, e serve com humilhação, tem sido sempre attendido".

E noutra parte:

"E a todos aqui está fechada a alta política, menos a Francisco Gomes. Mas este não falla senão em petiscos e moças: aqui tem V. Sa. como isto por cá vai".

Melo Morais, por seu turno, di-lo categoricamente. Assim:

"Estes dous validos (o Chalaça e o João Pinto), ambos portuguezes, ambos debochados, corrompidos, ignorantes, e de baixo nascimento, eram os mais perniciosos, PORQUE ERAM OS QUE GOZAVAM EM GRÃO MAIS SUBIDO DA CONFIANÇA E ESTIMA DO IMPERADOR".

Quem é afinal, esse homem tão em destaque? Quem é esse íntimo de D. Pedro? Quem é esse enigmático personagem, tão enigmático que a História do Brasil, a História com H maiúsculo, nem sequer se digna de lhe mencionar o nome? É fácil dizer.

* * *

O Chalaça nasceu em Portugal. Era filho de Antônio Gomes da Silva, ourives do Paço. Veio para o Brasil com a fuga de D. João VI. Chamava-se, antes de ser o *Chalaça*, burguesmente, Francisco Gomes da Silva. Tocava violão, cantava lundus, era grande amigo de ceatas, muito petiscador de mulherinhas. Aqui, no Brasil, para tentar fortuna, experimentara tudo: fora barbeiro, fora ourives, fora seminarista, fora até criado de galão!

Mas o destino, por um desses caprichos de espantar a gente, reservara a esse aventureiro, a esse boêmio, a esse famigerado berrador de modinhas, uma sorte brilhantíssima. D. Pedro, numa das suas noitadas de príncipe estróina, topara certa vez com aquele exótico figurão, muito alto e muito magro, a entoar as suas trovas e lundus no "Botequim da Corneta". Ninguém mais patusco, nem mais folião! E o Príncipe, num daqueles seus repentes, afeiçou-se desmedidamente àquele tipo estranho, tão galhofeiro, sabedor de tão boas piadas e chalaças: e no dia seguinte a esse encontro providencial, o Senhor Francisco Gomes da Silva, fechando a loja de barbeiro, aboletava-se no Paço de São Cristóvão, onde o Príncipe lhe mandara dar ótimo agasalho e ótima tença. Daí em diante, por essa boa-estrela, tornou-se o Chalaça um personagem relevantíssimo, o mais adulado dos fâmulos de D. Pedro. Para fazer-se idéia das mercês com que foi aquinhoado o tipo reles, basta ler o resumo que dele traçou Alberto Rangel. Lá diz o ilustre historiador de "D. Pedro I e da Marquesa de Santos":

"A 19 de novembro de 1822, foi-lhe mandado entregar ouro para fatura da Coroa e do Cetro. Em dezembro de 1823, encontra-se oficial da Secretaria dos Negócios do Império: depois, a 4 de abril de 1825, oficial maior graduado da mesma Secretaria, com exercício no gabinete imperial; e a 16 de abril de 1827, um decreto mandava que ele, a seu pedido, recebesse emolumentos em 'todas as Secretarias de Estado' como se fosse Oficial efetivo delas! Intendente Geral das Cavalariças, Secretário do Gabinete Imperial, Conselheiro de Estado, Comandante da Imperial Guarda de Honra, Concessionário da exploração do ouro, oficial da Ordem do Cruzeiro, comendador honorário da Torre e Espada, comendador da Ordem de Cristo e de S. Leopoldo, ministro plenipotenciário, procurador e "fac-totum" de D. Amélia viúva, tudo isso Gomes o foi."

Conseguiu o Chalaça, como se vê, posições e dignidades altíssimas. No entanto — é curioso notá-lo — o valido não teve a ambição das riquezas. Apesar de receber emolumentos por todas as Secretarias de Estado, como se fosse oficial efetivo delas, apesar de ser o único concessionário da exploração do ouro, apesar de ser o mais querido e o mais íntimo dos amigos do soberano, o Chalaça não enriqueceu. O dinheiro, ao que parece, não o fascinou. As honrarias, sim, essas é que o deslumbraram. Ele próprio é quem o confessa numa das suas cartas ao Marquês de Barbacena, então seu nobre e poderoso amigo. Assim:

"Relativamente aos presentes do estilo, Sua Majestade Imperial ordenou que se fizessem; isto, creio, lhe será participado pelo ministro dos negócios estrangeiros; sei bem que não se há de esquecer de mim; porém sempre lhe lembro que eu tenho servido de secretário de Sua Majestade Imperial; de Oficial maior da Secretaria, etc., nada mais lhe digo, pois que, além de ser amigo, sabe que eu ambiciono mais as honras que o dinheiro."

Dessa forte ambição por honras, nasceu a causa da sua ruína. A história dessa queda foi curiosa. Ei-la:

* * *

Barbacena, o afortunado Caldeira Brant, estava então no auge do poder. Era Primeiro-Ministro. D. Pedro tinha por ele uma estima cega. D. Amélia amava-o com ternuras de filha. Um dia, no Ministério, o Chalaça procurou o velho diplomata.

— O Imperador pede a Vossa Excelência que passe hoje à tarde por S. Cristóvão. É para Vossa Excelência resolver um negócio meu...

Barbacena intrigou-se. E com o seu velho faro político, conhecedor do Amo como ninguém, Caldeira Brant suspeitou logo que ali andava dente de coelho. Mas, não se perturbou. À tarde, entrando para a sege, ordenou secamente ao trintanário:

— São Cristóvão!

No Paço, porém, antes de falar ao Imperador, enveredou o Primeiro-Ministro pelos aposentos da Imperatriz. Aí conferenciou em sigilo, longamente, com Sua Majestade. Depois, sereno, com a sua bela estampa decorativa, Barbacena penetrou no Salão dos Despachos. D. Pedro recebeu-o de braços abertos, jovialíssimo. E logo, sem preâmbulos, foi entrando em matéria:

— Meu Barbacena! O Chalaça, como Vossa Excelência sabe, tem trabalhado com afinco nos meus negócios particulares. É de uma dedicação rara. Eu preciso, portanto, dar uma prova de amizade ao Chalaça. Preciso, galardoar os seus serviços. Vossa Excelência conhece a paixão que ele tem por dignidades. Vamos, por conseguinte, satisfazer-lhe a vaidade. Vossa Excelência mande lavrar um decreto concedendo ao Chalaça o título de Marquês...

Barbacena ergueu-se, chocadíssimo:

— Marquês? O Chalaça?

— Sim, meu Barbacena. E por que não? O Chalaça é o mais devotado de todos os meus criados. E eu quero recompensá-lo. Não discutamos, pois: mande lavrar o decreto!

Caldeira Brant ouviu, estupefato. E ali diante do soberano, enfunou-se o ministro duma audácia louca:

— Perdão, Majestade! Mas é necessário ponderar um pouco. Esse decreto é uma temeridade. É um ato comprometedor...

— Comprometedor?

— Sim, Majestade. Elevar o Chico Gomes a dignidade tão alta, fazer do nosso vulgaríssimo Chalaça um marquês, é graça verdadeiramente escandalosa. Vossa Majestade vai irritar o país com tão acintosa mercê...

— Deixe-se de baboseiras, Marquês! Ninguém neste país tem opinião. Opinião, aqui, é a opinião do Imperador. Não há outra. Toda gente engole o que eu quiser: deixe-se de baboseiras! Vamos lá: mande lavrar o decreto.

Barbacena sorriu. E sem azedume, mas reto e digno:

— Vossa Majestade há de me escusar. Mas eu, como Primeiro-Ministro, não referendo esse decreto.

D. Pedro fuzilou:

— Não referenda?

— Não!

E impávido, com dignidade, Barbacena lançou ao Monarca esta coisa enorme:

— Não referendo! E digo mais: se Vossa Majestade quiser conservar-me no Ministério, há de fazer a mim esta mercê, que reputo essencial à moralidade e ao prestígio do Trono: despedir o Chalaça! Mandar o Chalaça embora do Brasil!

D. Pedro escutou aquilo, assombrado! Não podia acreditar no que ouvia. E com os olhos arregalados, tonto:

— Mandar o Chalaça embora do Brasil?

Barbacena ia responder. Mas nisso, erguendo o reposteiro, surgiu no salão a figura doce e espiritualizada de D. Amélia. Naquele ambiente sombrio, tão carregado de trovoada, a silhueta moça e luminosa da Imperatriz foi como um raio de sol. D. Pedro, ao vê-la, sorriu. E galhofeiro:

— Sabe? Aqui o Barbacena está a me pedir uma graça incrível...

E a Imperatriz, toda luz e brejeirice:

— Uma graça? Então, Majestade, é necessário concedê-la já. Não se pode negar coisa alguma ao nosso Barbacena.

— Mas é preciso ver o que pede o Barbacena...

— Que há de ser, meu Deus?

D. Pedro, com um gesto largo:

— Um disparate! Isto: a saída do Chalaça do Brasil!

AS MALUQUICES DO IMPERADOR

D. Amélia tomou uns ares sisudos. Tornou-se, bruscamente, pensativa e grave. Aquela boneca frágil, tão galante e loira, sabia ser imperatriz nos momentos exatos... E ali com uma solenidade súbita, tornou para o Imperador:

— O nosso Marquês tem razão, Majestade! Esse homem precisa sair do Império...

— Que diz Vossa Majestade?

— Digo que o Chalaça precisa sair daqui. Vossa Majestade perdoe... Mas eu digo mais: esse tipo é abominável! Eu o detesto. E detesto-o, porque ele desmoraliza o Paço. Porque prejudica o Império. Porque impopulariza o regime. Porque compromete a Vossa Majestade!

— É um homem nefasto! É um...

E ambos, Imperatriz e Ministro, assediaram o Imperador de argumentos ferozes. Mas qual! D. Pedro não se deixava vencer. Resistia. Discutia. E afinal, para cortar o assunto:

— Bem, eu vou pensar...

Barbacena cintilou. Estava ganha a cartada... Sabia bem o astucioso ministro que D. Amélia, a deliciosa Beauharnais, com os seus radiosos dezessete anos, com aquela sua mocidade fresca e resplandecente, havia agrilhoado o coração borboleta do moço Imperador. D. Pedro teve pela mulher uma paixão desordenada. Amou-a desvairadamente. Amou-a com toda a explosão do seu temperamento vulcânico. E Barbacena sabia bem que D. Pedro, no seu enlevo, perdido de paixão, jamais teria para com aquela doce criatura a áspera rudeza de um "não".

Não se iludira o velho ministro. D. Amélia, realmente, deveria ter inventado carícias atordoantes, filtros estranhos, amolecedores. D. Pedro não resistiu à mulher. A linda moça, com os seus amavios, com os seus feitiços, conseguiu o milagre único: afastou o Imperador do seu maior valido. Mandou o Chalaça embora!

Um dia, enfim, estourou na Corte a notícia surpreendente: Francisco Gomes partia do Brasil. Que é que aconteceu? Por que tamanho desfavor? D. Pedro interveio. Não admitiu que o amigo partisse enxovalhado. Fez tudo por dourar aquele desterro. Fez tudo por suavizar aquela enorme queda. E então, contra o sentir de todos os ministros, afrontando o escândalo, D. Pedro timbrou em engrandecer o seu amigo: nomeou-o ministro diplomático em Nápoles!

O Chalaça ministro! O Chalaça, o antigo ourives, o antigo criado do Paço, aquele rastejante tocador de violão, elevado às culminâncias de diplomata brasileiro!

* * *

A partida do favorito foi dum burlesco espantoso. D. Pedro andava numa desolação. Abraçava o amigo, acariciava-o, chorava. Preocupava-se com todas as miudezas da viagem. Ia em pessoa ver o arranjo das malas. Descia às adegas buscar os vinhos prediletos do Chalaça. Providenciava as maiores comodidades para a travessia. Uma dobadoura! Não a descreva eu, que não hão de acreditar-me. Fale o cronista a sua língua desataviada, o que foi essa partida, essa verdadeira página bufa. Eis:

"O valido partiu, por ordem do Imperador, a bordo de um paquete inglês para a Inglaterra. O imperador concedeu do seu bolsinho uma pensão anual ao Chalaça de vinte e cinco mil francos. Ao Imperador custou muito esta separação. Encarregou-se ele próprio de todo o necessário da bagagem, para que nada faltasse. Lembrava-se das coisas as mais miúdas para cômodos do seu amigo. Tudo o que fazia o Imperador comunicava aos ministros. E entretinha-os antes dos despachos com essas ridicularias. Era assim: estive toda esta manhã a fazer arranjar tal ou tal mala: um estojo para aqui, um copo para ali, um talher e outras coisas para Francisco Gomes levar. Isto mortificava o ministério! E como o Chalaça bebia muito, o Imperador teve grande cuidado em arranjar-lhe as frasqueiras para a viagem..."

Não haveria por aí, entre os nossos caricaturistas, alguém que fixe esse lance saboroso?

* * *

Assim, graças a essa patriótica urdidura do Barbacena, partiu enfim do Brasil o grandíssimo patife. Esse homem, que subiu tão vertiginosamente, soube apenas, para conseguir tantos triunfos, servir-se deste singelo ardil: explorar a boemia do soberano. Que é que fez o Chalaça na vida? Acompanhou o Amo nas patuscadas, preparou-lhe ceatas, com violão e lundus, descobriu vinhos velhos, inventou petisqueiras, arranjou-lhe mulherinhas para os rega-bofes, alimentou à farta o temperamento patusco do monarca. Com isso, com alcovitismos e sabujices, conseguiu tudo. Cobriu-se de honras. Distribuiu favores. Protegeu amigos e apaniguados. Foi um homem culminante no seu tempo. No seu tempo só, não: hoje ainda, em plena democracia, seria o rufião uma pessoa relevantíssima. Quem não conhece, meus senhores, os Chalaças da República?

II

O PAQUETE "SWALLOW" ENFIOU a proa nas águas atlânticas. Ia nele, enfim, o senhor ministro diplomático de Nápoles, rumo do seu exílio dourado. Lá ao longe, entre morros, a cidadezinha diluía-se, confusa. No tombadilho, encostado à amurada, o grande amigo de D. Pedro, com ar murcho, cravava um olhar comprido naquele pequenino casario que se ia apagando na distância. Apertava-lhe o coração um despeito sangrento. Bailava-lhe no lábio um sorriso vago, mas feroz. Todo ele era sombra e fel. E crispando o punho, num gesto de ira, o favorito ciciou acerbamente:

— Deixe estar, Barbacena! Deixa estar...

E em segredo, bem dentro do coração, pôs-se a forjar vinganças espantosas...

* * *

O Marquês de Barbacena, triunfalmente, prestigiadíssimo, começou então a governar o Brasil numa rósea tranqüilidade. A boa-estrela de Caldeira Brant tocara o mais alto do céu. Tudo sorria-lhe. Tudo, as coisas e os homens, rastejavam-lhe aos pés, com docilidade. Não havia mais estorvos no seu caminho. O Chalaça partira. A Marquesa de Santos partira. João Pinto da Rocha partira. A própria Duquesinha de Goiás fora banida do Paço. Além de tão vastos triunfos, para coroa de tudo, a Imperatriz adorava-o. José Bonifácio, que voltara do exílio, prestigiava-o. E D. Pedro, com as desbordâncias de sua estima, tinha para com o Primeiro-Ministro deferências únicas, envaidecedoras. Tratava-o com rara afetuosidade. Abria-lhe a alma em intimidades de irmão. As cartas do soberano, por esse tempo, revelam alto essas amizades fortes. Eram da mais carinhosa confiança. Vede uma pequena amostra:

"Meu Barbacena — Grande dia hoje e memorável será em sua casa, pois eu nomeei-o mordomo-mor da imperatriz; e ela nomeou dama a sua filha.

Agora segredo. Custou-me a vencer a imperatriz para que a 'Pedra Parda' não fosse nomeada; mas finalmente esteve pelas minhas reflexões, e não a nomeou. Creio que a Pedra Parda tangeu o negócio por boa parte, digo pela duquesa-mãe, mas tudo foi baldado.

Estimarei que acredite que sou e serei, seu amo e amigo — Pedro".

Eis outra:

"Barbacena — Remeto-lhe esse papel, a fim de que mande examinar se o que esse homem representa é verdade.

Desejo muito que essa o ache bom e mais toda a sua família.

Eu estou bom, a imperatriz igualmente os dois príncipes. A Paula está um pouco incomodada, mas vai bem.

Perdoe que lhe lembre esporear o promotor dos jurados: há papéis que merecem bem de ser lidos e considerados pelo ministério. Isto é muito amical, pois de todo o coração sou seu amigo. — Pedro".

Barbacena, realmente, saboreou então o pináculo do fastígio. Foi a sua hora suprema. O Brasil inteiro, fascinado, ajoelhou-se diante do Grande Homem, como um inca diante do sol. Mal imaginava o ditoso Marquês, naquele momento de glória embriagante, que em Londres, lá por essa remota Londres, sob o fog, trotando por Picadilly, andava alguém, espumejando, com um ódio de morte fincado no coração, a forjar contra o Primeiro-Ministro vinganças espantosas...

AS MALUQUICES DO IMPERADOR

* * *

— O Imperador!

As ruas abarrotam-se de gente. Grande correria. As janelas abrem-se com estrépito. Que há?

— O Imperador!

É o Imperador que passa. Sua Majestade guia um coche tirado a seis. O fraco de D. Pedro, toda gente o sabe, é guiar. Não há para Sua Majestade paixão que o empolgue tanto.

Naquele dia, então, como o sol luzisse magnífico, D. Pedro saiu com espavento. Soberbo, o chicote em punho, o boleeiro imperial largara o coche num galope solto. Vinha dentro a Imperatriz D. Amélia. Dum lado, D. Maria da Glória, a rainhazinha de Portugal. Do outro lado, o Príncipe Augusto, irmão da imperatriz. Um bando luzidíssimo! De repente, a uma chicotada mais violenta, um dos cavalos pula, as guias quebram-se, o coche revira com estrondo! Grande pânico! D. Pedro é arremessado longe. A Imperatriz e a Rainha caem de borco no chão. O Príncipe Augusto bate a cabeça no lajedo. Um desastre completo. Todo o mundo precipita-se numa ânsia. Que foi? Que foi? Os viajantes reais estavam feridos. O Imperador, gemendo, vermelho de sangue, tinha duas costelas quebradas. Era na Rua do Lavradio. Era em frente à casa do Marquês de Cantagalo. O Marquês corre com todos os escravos a socorrer os feridos. Recolhe-os. Presta-lhes auxílios enérgicos. Vieram logo os médicos. Veio o cirurgião. Encastoaram fortemente o Imperador. E Pedro, durante largos dias, até curar-se da fratura, deixou-se ficar na casa amiga do Cantagalo.

* * *

Um dia, ao fim da doença, recebeu o monarca a correspondência de Estado. Era imensa. D. Pedro pôs-se a correr os olhos por aquele monte de papéis. Havia, entre eles, uma carta que chegara de Londres. Carta grossa, recheada de documentos. D. Pedro leu-a, com espanto. Depois, com mais vagar, tornou a ler. Meditou. Tornou a ler...

Paulo Setúbal

Aquela estranha carta chocara vivamente o soberano! D. Pedro bateu palmas. Apareceu o guarda-roupa de serviço:

— Vá buscar o Barbacena. Que venha já!

O guarda-roupa saiu. Devia existir nela qualquer coisa de muito grave, de muito impressionante. Aquelas letras tiveram influência radical no espírito de D. Pedro. Perturbaram-no. Um ricto de cólera enrugou-lhe o lábio. O olhar lampejou-lhe, bravio. Não restava dúvida: aquela estranha carta revirou-lhe os nervos. Assim, quando Barbacena entrou, D. Pedro fervia. O Ministro notou logo aquele azedume, aquelas sombras. D. Pedro, encastoado nas faixas, fez um enorme esforço para sentar-se. Sentou-se. E áspero:

— Diga-me aqui, Marquês: quanto V. Excia. gastou na Europa com o meu casamento?

Barbacena petrificou-se! Olhou o Amo assombrado. E D. Pedro, cada vez mais rude:

— Vamos lá, Marquês: quanto V. Excia. gastou?

Barbacena reconcentrou-se. Um instante depois:

— É fácil dizer. Gastei: 177.738 libras, 19 shillings, 10 pence.

— Mas é fabuloso, Marquês! E em que coisas dispendeu V. Excia. tanto dinheiro?

E Barbacena, olhos escancarados:

— Eu já expliquei tudo, Majestade! E expliquei de tal forma, que Vossa Majestade aprovou as minhas contas...

— O Marquês não explicou coisa alguma. Eu não vi coisa alguma! V. Excia. mostrou-me aí uma papelada. Uma papelada que eu não examinei, que fui aprovando à toa, confiado em V. Excia. Mas, agora, depois das revelações que recebi, exijo que o Marquês torne a prestar contas. Quero que me forneça todos os detalhes. Não é possível que V. Excia. tivesse gasto tanto! Não é possível... Nisso, Marquês, andou patifaria...

— Majestade!

— Patifaria, sim senhor! Patifaria grossa! Eu sei agora — tenho provas — que V. Excia., em Londres, recebeu comissão de todos os fornecedores. V. Excia. mandou passar os seus recibos por um preço, mas pagou outro. V. Excia. inventou despesas que não se fizeram. V. Excia...

Barbacena tremia, indignado. E com fúria, chamejante:

— Mas isso é calúnia, Majestade! Isso é infâmia dos meus inimigos!

— Não é calúnia, não senhor! Onde está, Marquês, o tal adereço de pérolas que V. Excia. diz que comprou para a Imperatriz? Onde está? E a afogadeira de rubis? Onde está? Ora, sabe o que mais?

Afogueado, os olhos chispantes, com aqueles seus eternos ímpetos de estouvado:

— Sabe o que mais? Escute lá: V. Excia. roubou-me!

— Majestade!

— Roubou-me, sim senhor! V. Excia, é um ladrão...

Barbacena não se conteve. Pulou:

— Vossa Majestade enlouqueceu! Vossa Majestade não sabe o que diz! Vossa Majestade...

Ferveu entre ambos uma altercação furiosa. Disseram-se os mais tremendos desaforos. Conta o velho Melo Morais:

"Foi tão vergonhosa a polêmica entre o Imperador e o Marquês de Barbacena, que o Imperador, furioso chamou a Barbacena de ladrão. A Imperatriz D. Amélia caiu doente!"

Resultou do atrito incrível — era fatal! — a demissão imediata de Barbacena. O homem do dia ruiu por terra. Espatifou-se o deus da hora. Mas, de que jeito? O ídolo tombou por um decreto famoso, decreto de uma secura achincalhante, decreto que o enlameava. Dizia, com todas as letras, que:

— "Sendo necessário tomarem-se as contas da caixa de Londres, e examinarem-se as grandes despesas feitas pelo Marquês de Barbacena com minha Augusta Filha, e, especialmente com o meu casamento... hei por bem demiti-lo do cargo de Ministro e Secretário de Estado dos Negócios da Fazenda".

Barbacena veio a público defender-se da pecha infame. Mas antes de assumir assim uma atitude de ostensiva luta, o velho ministro tentou conciliar um pouco as coisas. E lançou esta ponte: endereçou ao soberano uma petição em que solicitava, com certa malícia amedrontadoramente, autorização para publicar documentos graves. A resposta foi duma rudeza desaforada. Proclamava mais uma vez nuamente, o desvalimento em que caíra o Marquês. Dizia o Ministro do Império:

"O Augusto Amo e Senhor ordenou que participasse a V. Excia. que, pela garantia do art. 179 parágrafo 4.º da Constituição do Império, é desnecessária a licença que requer".

Não podia mais, diante da resposta, haver um instante de protelação. Barbacena despejou a sua defesa. Trouxe à baila cartas reservadíssimas. Desvendou toda a vergonheira do casamento. Explicou as instruções secretas de D. Pedro, os requisitos que exigia da noiva, as casas reinantes antipáticas, o diabo! Espalhou com retumbância as tábuas de D. Pedro, o enxoval, os empréstimos, mil intimidades ridículas e comprometedoras.

E foi só assim, graças à briga indecorosa, que a posteridade soube afinal das miudezas daquele célebre casamento imperial, miudezas tão cômicas, é verdade, mas tão dolorosas para os brios do Imperador e para as nossas arrogâncias de nação.

Aquele desvendar de coisas limpou galhardamente a memória de Barbacena. O embaixador e plenipotenciário entupiu a boca dos maledicentes pósteros. Mas não o redimiu perante o Amo. Ao contrário: agravou-lhe mais a desvalia. O Marquês de Barbacena, desde então, despenhou-se irremissivelmente na desgraça!

* * *

O Chalaça, lá em Londres, haveria de sorrir um belo sorriso satânico, ao saber da queda fragorosa do seu imenso inimigo. E haveria de sentir, com legítimo orgulho, o seu ainda formidável prestígio ante o coração do Amo e Amigo. D. Pedro não o esquecera. E a sua influência era ainda tão alta, tão decisiva, que, mesmo do exílio, mesmo de muito longe, bastava uma simples carta, uma pequenina palavra sua, para arremessar do pedestal um ministro onipotente, validíssimo, amigo e confidente da Imperatriz.

Não há que fugir, esta é a rude verdade: o Chalaça foi o homem culminante do Primeiro Reinado.

RETRATO DE D. MARIA II, 1827
Simplicio Rodrigues de Sá

UMA RAINHA
BRASILEIRA

D. Miguel de Bragança
J.S. Pereira

*É*is uma coisa chã, coisa das mais vulgares, que muitíssimo brasileiro desconhece: o Brasil já deu uma rainha. Sim, uma Rainha! Uma rainha autêntica, uma que sentou no trono, que dirigiu povos, que deixou na História um largo traço da sua passagem. Quem é?

— D. Maria da Glória, a filha de D. Pedro I. Essa que se chamou, na crônica dos monarcas, D. Maria II, rainha de Portugal.

A vida da galante princesa tomou proporções de romance. Destino tumultuoso, altos e baixos curiosíssimos, a história dessa brasileirinha coroada merece decerto uma página de divulgação.

A 4 de abril de 1819, no Rio de Janeiro, dentro do Paço de S. Cristóvão, nasceu a primogênita de D. Pedro e de D. Leopoldina. Era D. Maria da Glória. Era a Princesa do Grão-Pará. Os cortesãos, durante dois anos, viram na pequerrucha a herdeira do Trono. D. Maria da Glória recebeu, no meio das rendas do seu bercinho, os mimos e os agrados mais rastejantes. Foi uma pequenina deusa. No entanto, em 1821, nasceu o príncipe D. João Carlos. O menino eclipsou a irmã. O sucessor à coroa tornou-se o foco das adulações. A Corte prostrou-se diante do bebê imperial como um hindu diante dum buda. D. Maria da Glória despenhara-se do pedestal...

Mas eis que arrebentam na Corte os episódios gravíssimos do "Fico". D. Pedro, toda gente sabe, recusara-se definitivamente a partir para a Europa. Jorge d'Avilez, que então comandava as tropas, assestou contra o regente as suas bocas de fogo. Queria, a toda força, coagi-lo a cumprir as ordens do Reino. Ante a ameaça, sob o pânico dum bombardeio, D. Pedro ordenou que a Imperatriz e os filhos partissem às pressas para a fazenda de Santa Cruz. Era noite. Chovia. O príncipe herdeiro apanhou um grande frio. Veio a febre. Pneumonia. D. João Carlos não resistiu: morreu no dia 4 de fevereiro de 1822. Tinha nove meses de idade.

Maria da Graham, famosa *touriste* inglesa que andou por cá nesses trevosos tempos, deixou da sua viagem um diário pitoresco, muito vivo — "Journal of a voyage to Brasil" — em que narra o incidente fúnebre. Lá está na data certa:

"The princess D. Leopoldina and children are gone to Santa Cruz, a country estate fourteen leagues on the road of S. Paulo. This journey was very disastrous, as it caused the death of the Infante Prince".

Eis porque D. Pedro, quando se falava em Avilez, dizia com um ódio bravio:

— Foi esse infame o assassino do meu filho!

Do desastre, como era natural, resultou a brusca reviravolta: D. Maria da Glória tornara-se mais uma vez a herdeira do Trono. De novo, em redor da princesinha, rodopiaram zumbaias e rapapés. A deusa retornou ao nicho. E parecia, realmente, que o céu destinara a essa criança a coroa do Brasil: não mais apareceu um só filho varão. Era tudo princesa: D. Januária, D. Paula, D. Francisca... Mas de repente, com alvoroçados júbilos de D. Pedro, eis que surge um Príncipe! Um homem! O menino, o sucessor à coroa, veio eclipsar mais uma vez a filha primogênita: D. Maria da Glória passou a ser, muito naturalmente, uma simples princesinha. Caiu de novo... Mas qual! Aquela frágil criatura viera ao mundo para coisas grandes. Talharam-lhe os fados um destino de novela. Vede um pouco:

Em 1826, um ano após o nascimento do príncipe, morre D. João VI em Portugal. A regência de lá, preterindo a velha ambição de D. Miguel, filho segundo do soberano morto, reconhece a D. Pedro I como rei de Portugal. Viu-se o monarca brasileiro, dum dia para outro, surpreendido com a coroa do Brasil e de Portugal. Mas naquele momento, naquele momento dum nacionalismo férvido, eram absolutamente incompatíveis os dois cetros. Que faz D. Pedro? Abdica a coroa de Portugal. E abdica em quem? Abdica na sua filha D. Maria da Glória! Estava escrito, por linhas tortas, que a brasileira ia ter um papel sério no mundo.

D. Pedro, para cortar complicações políticas, agiu com o mais habilidoso tino prático. Estabeleceu como essencial à abdicação: 1.º) que D. Maria da Glória se casasse com o irmão D. Miguel; 2.º) que D. Miguel jurasse à Constituição que ele outorgara ao Reino.

Destarte, por esse acaso, a bem-fadada Maria da Glória se tornou rainha. Foi D. Maria II. Mas até que a brasileirinha sentasse no trono, até que fosse enfim rainha de verdade — que lutas, que aventuras!

* * *

O infante D. Miguel, durante a existência inteira, ambicionou uma coisa só: reinar. Viveu o irmão segundo de D. Pedro com os olhos cravados no trono. Foi uma fascinação! A mãe, aquela detestável D. Carlota Joaquina, que teve para com este príncipe ternuras comprometedoras, não sonhou outra coisa senão meter-lhe na cabeça a coroa de Portugal. D. Carlota Joaquina tramou, conjurou, intrigou, gastou todas as suas habilíssimas astúcias de soberana neste fim único: enredar a favor do filho. Quando morreu D. João VI, estava D. Miguel em Viena. O pai, depois de sufocar a última, vergonhosa rebeldia do ambicioso, desterra-o para a corte austríaca. Foi aí que veio apanhá-lo a notícia trágica. O Infante, com pasmo de toda gente, aceitou de semblante alegre a aclamação do nosso D. Pedro I como rei de Portugal. Escreveu ao irmão uma carta respeitosíssima, padrão modelar de vassalagem e de humildade. Nem se irritou com a abdicação de D. Pedro a favor da filha. Ao contrário: cumpriu estritamente as ordens do Brasil. Fez tudo. Em Viena com os protocolos do estilo, D. Miguel reconheceu em público a D. Maria da Glória como rainha de Portugal. Jurou, com todas as formalidades, à Constituição que D. Pedro outorgara ao Reino. E enfim, conseguida a autorização do papa, assinou a escritura dos seus esponsais com a sobrinha.

Este ato revestiu-se da mais alta solenidade. Assistiram a ele o próprio Imperador da Áustria, o Primeiro-Ministro, que era Metternich, o Arquiduque herdeiro, todos os grandes dignitários. Serviram de padrinhos o Embaixador de Portugal e o Embaixador do Brasil. Além de fatos tão públicos, Barbacena, então em Paris, escrevia ao Rio estas coisas peremptórias:

"Senhor. Aqui cheguei no dia 19 de dezembro, poucas horas depois do senhor Infante. Por ele, fui recebido com o mais distinto acolhimento. Nos outros dias, até o dia 26, continuarei a gozar da mesma honra, ficando eu cada vez mais satisfeito, e admirado de quanto vi, e ouvi dizer, ou fazer este Príncipe. Abençoada hora em que foi a Viena! *O seu credo político se reduz a cumprir* as *ordens de Vossa Majestade*, e a carregar a pesada cruz que Vossa Majestade lhe impôs, isto é, governar Portugal em situações tão difíceis".

E o próprio Infante, claro, sem rodeios, declarava ao rei da Inglaterra:

"Qualquer desobediência da minha parte não seria meramente um crime: seria uma arrematada loucura. E isto porque não só me comprometeria perante as potências da Europa, mas igualmente perante meu irmão, expondo-me a perder o que decerto vou ter antes de seis meses".

Não podia haver, dentro dos limites humanos, provas mais absolutas, mais categóricas de submissão e de harmonia. O caso político de Portugal ficara assim elegantemente solucionado. D. Pedro acreditou no irmão. Quem, em condições idênticas, não acreditaria?

Foi então que D. Pedro, no seu engano d'alma tomou esta deliberação grave: ordenou a D. Miguel que deixasse Viena e fosse governar Portugal, como seu lugar-tenente. O monarca assim o anunciou ao Infante:

> "Meu querido mano. Tenho o gosto de participar-lhe, em muita consideração à sua conduta regular e transcendente lealdade, que fui servido nomeá-lo meu lugar-tenente, no Reino de Portugal, a fim de governá-lo em meu nome e de acordo com a constituição que dei àquele reino. Espero que o mano tome esta minha resolução como a prova maior que podia dar de amor e confiança. Este seu mano que muito o estima.
>
> Pedro."

Ao mesmo tempo — oh boa-fé! — escreveu aos soberanos da Europa a sua resolução, pedindo para o "mano" toda a amizade e apoio. Foi assim, com essa perigosíssima nomeação, que D. Pedro, confiante e liso, pôs o reino de seus maiores, a coroa da filha primogênita, nas mãos do príncipe mais falso do seu tempo.

* * *

D. Miguel recebeu o decreto famoso. E partiu sem tardança. Foi uma viagem triunfal! Francisco I circundou-o de honras altíssimas. Luís XVIII teve para com ele carinhos vencedores. Jorge IV agasalhou-o com pompas régias, excepcionais. Assim nô-lo conta o Marquês de Barbacena:

> "Sua Majestade Britânica, querendo mostrar o alto apreço, amizade e consideração que tem para com o Imperador, meu Senhor e Amo, tem resolvido fazer para seu irmão obséquios extraordinários, de que não há muitos exemplos. Assim, mandou aprontar o palácio em

que residia o Duque de York, para nele hospedar o Senhor Infante. Um camarista irá recebê-lo a Dover. O iate real, rebocado por um vapor, atravessará o canal, para tocar em Calais ou Boulogne, segundo o porto em que Sua Alteza quiser embarcar. Grandes festas e caçadas estão dispostas em Windsor. E tudo isto acompanhado da mais positiva segurança de que não permitirá a mais leve alteração nas instituições nem nas ordens dadas pelo Imperador do Brasil e rei de Portugal. São fatos da maior importância que decerto muito hão de agradar a S. M. Imperial".

* * *

D. Miguel, com esse fortíssimo prestígio, senhor do poder, desceu em Lisboa, depois de régia estada na Inglaterra, a 22 de fevereiro de 1828. Do cais de Belém, onde desembarcara, correu ansioso a beijar a mão de D. Carlota Joaquina. Demorou-se longo tempo nos aposentos da mãe. A rainha, quando o Infante saiu, disse com uma alegria satânica, alto, para que todos a ouvissem:

— Não me enganei! O Miguel é o mesmo que era...

Nessa noite, sob as luminárias, os partidários de D. Carlota atroavam as Ruas de Lisboa com berros incríveis:

— Viva D. Miguel I! Morra D. Pedro IV!

Dentro em breve, com assombro de todas as potências, desenhou-se nitidamente a atitude velha de D. Miguel: o Infante apregoava-se desassombrado o único rei legítimo de Portugal! Tudo o que fizera D. Pedro, dizia o traidor, era virtualmente nulo. Nulo porque o Imperador do Brasil não tinha direito algum à sucessão do trono. E isto pelas razões seguintes:

1.º) "D. Pedro se tornara o soberano de um país estrangeiro. Esta circunstância, constituindo-o estrangeiro, excluiu-o do trono de Portugal, de conformidade com o decreto das cortes de Lamego;

2.º) A residência de D. Pedro fora do reino era contrária às ordenanças das cortes de Thomar de 1641;

3.º) Tendo Portugal e o Brasil se separado em Estados distintos desde 15 de novembro de 1825, e tendo D. Pedro escolhido a coroa do último, se desqualificara para reinar sobre Portugal, pelos termos das sobreditas cartas patentes de 1642;

4.º) O juramento prestado por D. Miguel era inválido, por ter sido o mesmo forçado, e contraído em país estrangeiro."[3]

D. Miguel, fundado em tais princípios, convocou "os três Estados". Eram os únicos, de acordo com as velhas usanças, que poderiam dizer a palavra decisiva. Os três Estados reuniram-se. A decisão — está claro! — não podia ser outra: proclamaram o Infante rei de Portugal.

D. Miguel sem vacilar, assumiu o título de Miguel I. E por essa forma, com essa triste comédia, consumou-se o perjúrio tremendo. O Infante usurpou assim, descaradamente, o trono da sobrinha e noiva.

D. Pedro no Rio, nunca imaginou que no Reino se estivessem desenrolando acontecimentos tão fabulosos. Na sua boa-fé, certíssimo de que apaziguara tudo, mandou aprestar uma fragata para conduzir D. Maria II a Viena. Determinara o Imperador que fosse a menina para a Corte do avô, o velho Francisco I, aprimorar a educação e esperar a idade legal para o casamento com D. Miguel. A missão de acompanhar a rainha à Europa era das mais subidas. Honra grande e séria. Quem haveria de ser o escolhido para embaixada de tanto lustre? Não é difícil adivinhar: o Barbacena, o homem único, o diplomata da paixão de D. Pedro.

Caldeira Brant embarcou na "Red-Pole". A bordo, recebeu, com minúcias, as instruções da viagem.

---

[3] A. Augusto de Aguiar "Vida do Marquês de Barbacena".

"Largará V. Excia. deste porto em direitura a Gênova, tocando em Gibraltar para receber o prático do Mediterrâneo.

Em Gênova, terá unicamente a demora para que Sua Majestade Fidelíssima D. Maria da Glória descanse dos incômodos do mar e prepare-se o transporte por terra.

S. M. F. tomará, na sua viagem, o título de "Duquesa de Guimarães"; e passará; por Parma, a fim de visitar sua tia, a Arquiduquesa Maria Luísa.

Chegando a Viena, fará V. S. entrega do sagrado depósito, de que vai encarregado, a seu augusto avô; e então ficarão na companhia da rainha, a Condessa de Atagipe, assim como D. Mariana Carlota Brusco, e Joaquina Teresa de Jesus."

Ao mesmo tempo, por esse mesmo barco, levava o ilustre ministro fortíssimas credenciais junto ao Imperador da Áustria. D. Pedro escrevera ao sogro esta envaidecedora carta:

"Ultimando tudo quanto eu tinha prometido, envio minha filha, rainha de Portugal, para a Europa, a fim de aprender na companhia de Vossa Majestade Imperial, Real e Apostólica, o que lhe convém para um dia vir a ser a imagem de seu avô, fazendo felizes os povos a quem governar. O sentimento que, contudo, me causa o separar-me de uma filha tão querida, não me permite dizer agora mais coisa alguma.

O Marquês de Barbacena, encarregado de entregar a Vossa Majestade minha filha, dirá a Vossa Majestade tudo o que quiser saber, não só relativo a mim e a toda a minha família como a este império; e *rogo a Vossa Majestade lhe dê inteiro crédito a tudo que da minha parte ele disser. — Pedro".*

Barbacena partiu. E principiaram, desde logo, as peripécias da viagem romanesca.

II

Em Gibraltar, a fim de receber o prático do Mediterrâneo, fundeou a nau *Imperatriz*. Barbacena, instantes depois, recebia a bordo um correio urgentíssimo. Trazia despachos do Marquês de Rezende e do Visconde de Itabaiana, embaixadores brasileiros na Europa. Foi só então que Caldeira Brant, estuporado, soube da miserável usurpação de D. Miguel. Os sucessos de Portugal aterrorizaram o diplomata. Que fazer? Itabaiana e Rezende, com argumentos prementes, suplicavam a Barbacena que não mais levasse a rainhazinha para Viena, onde Metternich se apoderaria dela para os seus planos políticos. Aconselhavam, ao contrário que Barbacena levasse D. Maria da Glória para a ilha da Madeira ou ilha dos Açores, as quais se haviam pronunciado contra o usurpador. O despacho dizia assim:

"A usurpação do trono de Portugal está consumada. Mas recebemos aqui, em contraposição, a notícia de que a ilha da Madeira e a dos Açores se têm declarado fiéis ao seu legítimo soberano. Julgamos, apesar disso, perdida a causa da legitimidade, a não ser que o nosso Amo revogue o decreto de 3 de março, não enviando jamais sua filha para Viena. A manutenção daquele decreto terá como resultado ficar el-Rei privado da tutela da sua filha que é a única arma que lhe resta para disputar a coroa ao usurpador. A ida para Viena tem como resultado ficar a Princesa em cativeiro, como ficou o filho de Bonaparte, até que seja maior, para, então, por um ato formal, renunciar os seus direitos no usurpador... Tal é o plano atroz e pérfido que têm os Gabinetes da Áustria e França. Eis porque vimos pedir, no augusto nome do nosso Imperador, que V. Excia. não leve jamais a rainha para Viena; mas que vá com ela para a Madeira, e ali se conserve até receber novas ordens de Sua Majestade. E quando a rainha não possa ficar na Madeira, leve-a Vossa Excelência para o Rio de Janeiro. Da resolução de V. Excia. depende a sorte da rainha; levando-a para a Madeira, poderá ela ainda reaver a coroa que lhe foi usurpada, levando-a para Viena, pô-la-á em humilhante cativeiro, contribuindo V. Excia. para a vitória da usurpação. Não hesite pois V. Excia., etc..."

A situação era realmente embaraçosa. Barbacena teve de resolver, nesse momento, o trecho mais melindroso de sua vida de diplomata. Levar a menina para Viena, colocá-la na corte do avô, era pôr nas

Paulo Setúbal

mãos de Metternich uma alavanca perigosíssima. O maquiavélico Primeiro-Ministro, com a rainha entre as garras, tornar-se-ia o árbitro absoluto dos negócios de Portugal e do Brasil. D. Miguel dependeria dele para solucionar o caso da noiva; D. Pedro dependeria dele para solucionar o caso da filha. E Metternich (bem o sabia Barbacena) não era homem de se confiar... Levar a rainha para os Açores, ou para a Madeira, ilhas desguarnecidas, era expô-la aos azares dum bombardeio e duma prisão. Como sair daí? O momento tornou-se gravíssimo. Caldeira Brant, nessa hora, teve consigo o destino duma rainha. Teve consigo o destino de Portugal inteiro. Tudo dependia do seu tino. E Barbacena, convém apregoá-lo aqui, alto e bom som, Barbacena resolveu a situação com um brilho único. Não levou D. Maria da Glória para Viena; não a levou também para as ilhas: levou-a diretamente para a Inglaterra. Levou-a para a aliada de D. Pedro, para a terra amiga, a pátria de todas as liberdades. Tomou a resolução estranha; e, sem vacilar, enfiou a proa da sua fragata rumo de Falmouth.

Não se enganara Barbacena.

* * *

A Inglaterra, mal soube dos acontecimentos, ordenou logo que a rainhazinha usurpada fosse recebida com pompas excepcionais. Teve a brasileira as considerações de rainha legítima. O almirantado inglês expediu circulares para todos os portos de Calais. Assim:

"Senhor! Tendo chegado a notícia da próxima vinda de Sua Majestade, Rainha de Portugal, a bordo dum navio brasileiro, a um dos portos do canal, tenho ordem de Sua Alteza Real, o chefe do Almirantado, para vos determinar que, em conformidade com a vontade de el-Rei, seja recebida a mesma com todas as honras devidas a uma testa coroada. Sou, meu senhor, obediente criado. J. W. Croker".

Além dessas medidas, assim terminantes, soube logo Barbacena que Jorge IV, para distinguir, frisantemente a D. Maria da Glória, mandara buscá-la a Falmouth nas suas próprias carruagens, enviando para saudá-la Lorde Clinton; seu camarista particular, e "Sir" William Henry Freemantle, tesoureiro da casa real. Diante de tão altas honrarias — honrarias preciosas no momento do desastre — D. Maria da Glória escreveu imediatamente ao Rei uma carta gentil:

> "Monsieur mon frère et cousin. Au moment de mettre les pieds dans les états de votre magesté, mon premier devoir est de m'adresser á elle. Je le fais avec toute la confiance que m'inspirent á son égard les sentiments que j'ai hérités de mon auguste père et de mês ancétres. Les regrets que j'eprouve de la séparation de ce père chéri, et la vive douleur que me causent les malheurs dans les quels j'al appris que se trouve plongée la nation portugaise, qui doit être l'object de tout mon amour, seront adoucis par l'accueil bienveillant de votre magesté aussitôt que j'aurai le bonheur, que j'ambitionne, de me trouver en sa presence. J'ai l'honneur d'être, de yotre magesté, la bonne soeur et cousine. — Marie da Gloria".

Barbacena, pelo mesmo correio, enviou uma carta pomposa ao Duque de Wellington, então primeiro-ministro:

> "Monsieur le duc. — L'empereur, mon auguste maître, a daigné me charger de la plus honorable de toutes les commissions: celle d'accompagner son auguste fille, la reine du Portugal, dans sons voyage en Europe..., etc.".

Jorge IV, com grande gentileza apressou-se em responder fidalgamente à pequenina destronada. Assim:

> "My dear Sister and Cousin. It is with infinite gratification, I learn by the letter wich your Majesty addressed to me on the 24th ultimo, your safe arrival in these my Dominious; and I take the earliest opportunity of conveying to your majesty my warmest congratulations ou the happy occasion. I have commanded Lord Clinton, one of the lords of My

Bedchamber, and Sir William Henry Freemantle, Treasurer of My Household, to remain near your majesty's Person, and I trust that nothing will be left undone to make your majesty's residence in England agreeable to your majesty. As soon as the state of my health will permit it will afford methe agreatest pleasure to receive your majesty at my palace where your majesty may be assured of meeting with the most cordial reception. And I shall be happy to avail Myself of the opportunity of renewing to your majesty in Person, the assurances of the sincere Regard and Attachment with which I am, My dear sister and cousin, your majesty affectionate Brother — George R."[4]

Wellington, por seu turno, com uma deferência marcante para com Barbacena, escreveu-lhe amavelmente:

"Monsieur le marquis — I have had the honour of receiving Y. E. letter of the 24th Instant; and I beg leave to congratulate Y. E. upon the safe arrival in England of Queen of Portugal, D. Maria da Glória"[5].

Seis dias descansou a rainha brasileira dos cambaleios da viagem. Depois, metendo-se nas carruagens do rei inglês, seguida dos seus camareiros e camareiras, partiu a menina coroada a caminho de Londres. Aí, com pompa e brilho, hospedou-se regiamente no "Grillon's Hotel". Barbacena, de Londres, refeitas as forças, pormenorizou a D. Pedro, numa copiosa carta, os acontecimentos na Inglaterra. Ei-la:

"A 24 de setembro, fundeei em Falmouth. Desde então, comecei a ter provas lisonjeiras, dia a dia mais crescentes, do acerto da minha

---

[4] Minha querida irmã e prima. Foi com imensa satisfação que soube, pela carta que V. M. me dirigiu no dia 24 último, da feliz chegada de V. M. aos meus domínios. Terei, na primeira oportunidade, o grato ensejo de apresentar a V. M. minhas calorosas felicitações. Ordenei a Lorde Clinton, um dos meus camaristas particulares, e a "Sir" William Henry Freemantle, "tesoureiro de minha Casa, que permanecessem ao lado de V. M. Eu espero que nada será esquecido para que a estada de V. M. na Inglaterra seja agradável. Logo que o estado de minha saúde o permitir, terei o maior prazer em recebê-la no meu palácio, onde V. M. pode ficar certa que encontrará a minha recepção mais cordial. Serei feliz em logo testemunhar pessoalmente a V. M. a segurança do sincero desvelo e devotamento com que Eu sou, querida irmã e prima, de V. M. irmão afetuoso — Jorge, Rei.

[5] "Senhor Marquês. Tive a honra de receber neste momento a carta de V. Excia. de 24. Permita que eu felicite V. Excia. pela feliz chegada à Inglaterra da Rainha de Portugal, D. Maria da Glória."

AS MALUQUICES DO IMPERADOR

resolução. Parece-me estar salva a coroa que D. Miguel havia usurpado. E se todos os males e perfídias cometidos pela Áustria, desde que Vossa Majestade deu uma constituição aos portugueses, não têm remédio, evitei, ao menos, a última e decisiva com que Metternich contava tirar-se da dificuldade atual: sacrificar uma neta do seu Soberano, como já outrora sacrificara uma filha".

"Aqui, na Inglaterra, nenhum ministério resiste à opinião pública. E esta é em favor da rainha desde que D. Miguel se fez usurpador e déspota. A opinião pública subiu a tal ponto com a chegada e desembarque de D. Maria da Glória que, realmente, parece quase delírio".

"El-Rei, por sua parte, também simpatizou-se com a causa dela, tendo-lhe prodigalizado os maiores obséquios e distinções. Segue-se daí que o Ministério ou há de sustentar os direitos da rainha, e por este modo congraçar-se com a Nação, ou cair na primeira reunião do Conselho".

"O Duque de Wellington e Aberdeen vieram no dia sete cumprimentar a rainha. Disse Wellington que o rei começava a experimentar melhoras na sua saúde; e que esperava, antes de oito dias, ter a honra de receber a visita de D. Maria da Glória. Toda a família real, por seu turno, tem mandado os seus cumprimentos. E todos só esperam (segundo a etiqueta da Corte) que a rainha se aviste com el-Rei para virem todos pessoalmente visitá-la".

"A rua onde moramos está sempre cheia. E D. Maria da Glória é obrigada a aparecer freqüentemente à janela para receber vivas e aclamações. As visitas e cumprimentos de todas as personalidades não têm fim. Eu acho-me quase morto de fadiga".

"Wellington informou-me, também, da recepção que estava preparada para a rainha em 'Grillon's Hotel', onde também fora hospedado el-Rei da França, o que é costume nesta corte por falta de palácios. Isto é verdade".

"Agradeci ao duque os obséquios feitos a D. Maria da Glória. Fiz-lhe notar que a residência da Sua Majestade em Londres perturbava o plano de seus estudos e educação, tão recomendados pelo Imperador, meu Amo; e que, ainda mais, aquele numeroso concurso que sempre a acompanhava tirava-lhe toda a liberdade de poder fazer algum exercício; pelo que, permitindo Sua Majestade Britânica, eu tomaria uma casa de campo nas vizinhanças de Windsor. O duque aprovou muito a resolução. E eu, nesse caso, pretendo mudar-me nesses quatro dias, tanto para ficar mais perto do Rei, e assim poderem as Princesas freqüentar a companhia de D. Maria da Glória em plena liberdade (muito principalmente a herdeira da coroa, que é de sua mesma idade) como também, é natural, para evitar a enorme despesa que o Senhor D. Pedro está fazendo. Só a mesa de D. Maria da Glória custa por dia £ 96."

Assim prestigiada por todo o mundo inglês, D. Maria da Glória ficou à espera de ver-se recebida por Jorge IV, logo que a saúde daquele rei o permitisse.

Enquanto isso, na Áustria, a não chegada da rainha foi um desapontamento. Francisco I mandou imediatamente a Londres o conde de Lebzeltern, áulico da sua confiança, a fim de arrebanhar a pequena para Viena. Lebzeltern trouxe várias cartas à rainhazinha. Uma delas, muito macia e carinhosa, escrita com a própria letra de Francisco I:

> "Madame ma soeur e trés chere petite fille. Ayant été informé que la direction de votre voyage a été changé, j'ai ordonné ou comte de Lebzeltern que j'avais envoyé avec mes équipages è Gênnes pour vous y recevoir, de se rendre à Londres. Il vous remettra cette lettre, avec celle que je vous avais adressé a Gênnes et iI vous repetera 'le desir que j'ai de vous voir bientot'.
>
> Je fais des voeux pour votre senté et je vous recommande beaucoup de menagements. N'oubliez pas que vous vous trouvez dans un bien autre climat que celui que vous a vu naitre, et qu'il vous fraudra aussi des précautions, jusqu'a ce que vous serez acoutumée á ce changement. Je saisis cette occasion pour vous assurer de ma tendre amitié. Votre affectionné grand-père, François".

Metternich, pelo mesmo correio, mandou a Barbacena um imenso despacho, crivado de argumentos sérios, convencendo a

Caldeira Brant de enviar imediatamente, por intermédio de Lebzeltern, D. Maria à corte do avô. Foi difícil tarefa a de descartar-se o diplomata brasileiro dos bons ofícios do conde austríaco. Barbacena, porém, com muita habilidade, respondeu a Metternich um longo ofício protelatório. Não havia no documento, tal a astúcia com que fora escrito, razão alguma para que Metternich se melindrasse. Ao mesmo tempo, D. Maria da Glória escrevia ao avô uma carta untuosa, muito alambicada, mas despida de toda conseqüência:

> "Monsieur mon frère et grand-père. Toute jeune que je suis, já sais apprecier à sa juste valeur la marque de tendresse paternelle que votre magesté impériale a bien volu me donner, en m'adressant deus lettres dont une est toute écrite de sa propre main. J'ai balsé cents fois ces lettres precieuses, et j'al la plus grande envie de baiser aussi la MAM vénérable qui les a signées, mais comme la couronne, que le clel m'avait destinée vient de m'etre usurpée par celui même que devait en étre le pius fidêle depositaire; et que par suíte de cet inat tendu et malheureux événement, j'ai du venir chez l'allié de la maison de Bragança, notre bon frère et cousin, le rol de la Grande-Bretagne et d'Irlande, les voeux de moa coeur se trouvent contrairiés dans cette pressante circonstance, par le devoir que j'ai de contribuer, par ma présence dans cette terre hospitalière, au succés des mesures que mon pére bien aimé va prendre en ma faveur; ces mesures seront communiqués au ministre de votre magesté imperiale par le marquis de Barbacena, qul est chargé de La garde de ma personne et de la gestion de toutes mes affaires et elles seront couronnés d'un hereux resultat, si votre magesté imperiale daigne les seconder".

> "Veulilez donc, mon très cher grand-père, vous anouir a l'entreprise de la restauration de ma couronne, et ajouter par lá, á tous vos titres, celui de defenser d'une jeune reine infortunée, qui appelle á votre tendresse paternelle qui a le seul bonheur d'être de

votre majesté imperiale, la bonne soeur et petite fille, três afection-née, Maria da Glória".

III

NUMA ENCANTADORA casa de campo, em Laleham, ficou-se, por meses, aquela graciosa rainha brasileira. A recepção na Inglaterra, recepção oficial, tão positiva e fragorosa, retumbara longe. D. Miguel, em Lisboa, soube com assombro das deferências reais com que fora agasalhada a pequena soberana. Parecia, não há dúvida, que a Inglaterra encampara rasgadamente a causa da menina.

Mas havia um homem, longe de Londres, que sorria daquelas recepções atroantes. Havia um homem que, magoadíssimo por ter D. Maria da Glória aportado na ilha, planeava um golpe de mestre em Barbacena. Era Metternich. O chanceler austríaco, a mais perigosa cabeça política do seu tempo, lançara em Londres a sua rede dourada: e conseguira, com suas finíssimas artimanhas, conquistar e vencer esse forte Duque de Wellington, Primeiro-Ministro, então às culminâncias da popularidade. Principiaram, então, na corte inglesa, aquelas mil intrigazinhas, aquelas ínfimas astúcias domésticas, com que Wellington procurava adiar, jeitosamente, a faustosa recepção que Jorge IV preparava a D. Maria da Glória. Viu-se, naquelas escuras tramas dos corredores diplomáticos, este fato curioso: o rei a favor da rainha legítima; Wellington, com suas tricas e ronhas, a favor de D. Miguel. Barbacena, mais duma vez, escrevera ao Rio:

"O Duque de Wellington não se pejou de dizer-me que, suposto o direito estivesse da parte da rainha, os portugueses, contudo, não queriam outro rei senão D. Miguel".

Assim, com essas lutas pérfidas, deixava-se ficar D. Maria da Glória em Laleham. As desculpas que o chanceler trazia pela demora da recepção real eram abundantes e pormenorizadas. Primeiro (isto era muitíssimo aceitável), foi a doença do rei. Depois, já não era mais a doença; era a vontade de Jorge IV de receber a rainhazinha, não no palácio real, mas no castelo de Windsor, a deliciosa morada de campo do monarca. Depois, já em Windsor, o fato de Jorge IV, homem finamente mundano, querer alfaiar o seu castelo com insuperáveis requintes de elegância. Barbacena explicava essa última protelação deste jeito:

"Os que conhecem o caráter do rei, os que conhecem o seu capricho e elegância sobre o ornato dos quartos, não hão de estranhar esta demora; pois, fazendo o rei diariamente conduzir alguns ornatos, ou peças dos outros palácios para este, cada ornato novo exige transformação completa dos que estavam colocados. E isso complica tudo..."

Mas, durante esta fastidiosa espera, tão de provar a paciência humana, Barbacena não descuidava da educação da rainhazinha. A vida, em Laleham, era uma vida de paço. D. Maria da Glória vivia como rainha. Eram mantidas todas as etiquetas. Eis o ritual daquela existência de soberanazinha destronada:

"Senhor. Começarei por anunciar que D. Maria da Glória continua a gozar da melhor saúde. Está mais alta, menos gorda, e, por conseqüência, mais bela e elegante. Os dentes que lhe vinham nascendo tortos e cruzados vão ficando iguais e direitos, graças à perícia do insigne Cartwright. Lembra-me ter participado a V. M. que a rainha, deixando tirar as presas de cima com bastante coragem, chorava alguns dias depois, e não consentira em tirar as presas de baixo. Devo agora, em obséquio da verdade, participar a V. M. que com igual coragem deixou tirar as presas de baixo, para que eu não desse a V. M. uma notícia que pudesse desagradar-lhe. E ordenou-me depois que mandasse os dentes a V. M., o que farei quando estiverem encastoados.

O seu tempo é empregado da maneira seguinte:

Levanta-se às oito horas e deita-se às nove. Almoça das oito e meia às nove; janta das duas e meia às três e ceia às oito. Do meio-dia até as duas horas passeia de carruagem ou a pé. Mas sempre que o tempo o permite deste último modo.

Todo o intervalo entre as horas marcadas é para lições. São elas de francês, inglês, geografia, história e aritmética, desenho, dança, piano e obras de agulha.

Para o desenho e dança vem mestre de fora, duas vezes na semana. De tudo mais se encarregou Madame De Soir, que tem muito merecimento e me foi abonada por Freemantle. É mui conhecida da família real e tem um irmão com a Duquesa de Kent.

Durante a viagem de mar, comia S. M. com a dama, sua filha e a açafata, segundo S. M. regulou.

De Falmouth a Londres, sendo a mesa à custa de S. M. B. seguiu-se a prática inglesa, comendo S. M. com os camaristas, damas, embaixadores e ministros, e de mais com a açafata, guarda-roupa e médico.

Depois que viemos para Laleham, estabeleci a etiqueta do paço, isto é, S. M. comendo só, e todos os mais na mesa de estado. Mas este plano não pôde durar senão até a semana passada, em que fui obrigado a mudá-lo pelas razões que vou expor".

Eis que é nesse momento, exatamente, que chega a Londres Lorde Strangford, ministro britânico no Rio de Janeiro. Strangford exige uma audiência imediata do rei. Barbacena aproveitou-se do ensejo, procurou o tesoureiro particular de el-Rei, o já seu amigo William Freemantle e conseguiu, enfim, habilidosamente o convite oficial para a tão decantada recepção. O embaixador brasileiro pormenorizou a D. Pedro a interessante entrevista com o tesoureiro:

"Mudou-se el-Rei para o seu novo palácio a 11 do corrente, e passando-se quatro dias sem aviso para a recepção da rainha, fui visitar 'Sir' William Freemantle a fim de ter ocasião de falar naquele objeto.

A conversação recaiu naturalmente sobre o que as gazetas diziam da chegada de Strangford, o que me facilitou entrar na matéria, e explicar o absurdo da pretensão daquele diplomata, querendo uma audiência particular 24 horas depois de fundear.

— Cá está a rainha, disse eu, há dois meses e sem meio de ver a el-Rei; e nem por isso se escandaliza...

O resultado foi vir ele hoje da parte d'el-Rei cumprimentar a S. M. e perguntar se acaso seria do agrado da rainha honrar a el-Rei com a sua visita, segunda-feira, às 2 horas.

Sua Majestade agradeceu o cumprimento e prometeu fazer a sua visita segunda-feira.

Freemantle foi em conseqüência fazer os convites ao Visconde de Itabaiana, Marquês e Marquesa de Palmella, assim como particular à família real para estar presente.

Como a rainha costuma jantar às 2 1/2 horas, pretende el-Rei dar-lhe de jantar... etc.".

Até que, no dia marcado, realizou-se a recepção da rainha brasileira. Já o camarista particular de Jorge IV referia, em segredo, "que Sua Majestade se propunha a receber D. Maria da Glória de maneira que fizesse época". Esse acontecimento, que deveria ter forte repercussão nas cortes diplomáticas, relatou-o Barbacena numa carta minuciosa ao Amo e amigo:

"Laleham, 23 de dezembro de 1828. — Senhor. — Verificou-se ontem a visita da rainha a sua majestade britânica, e tudo quanto eu pudesse dizer a V. M. I., sobre os obséquios, e a polidez do rei, ficaria muito aquém do que vimos e admiramos.

Mal podendo el-Rei sustentar-se nas pernas, suando em bica e cansando ao menor excesso, quis absolutamente vir ao patamar da escada receber a rainha, e conduzi-la de salão em salão.

No "Courier" e no "Times", que remeto, incluso, vem escrito o que houve de mais notável, porém, acrescentarei algumas particularidades.

El-Rei beijou a mão e a testa da rainha e disse-lhe que tinha estado impaciente pela honra de a conhecer; que sua moléstia, da qual não estava completamente restabelecido, tinha retardado aquele momento afortunado. E mil outras coisas desse gênero. Acabou o seu discurso por pedir à rainha que lhe apresentasse as pessoas que a acompanhavam.

Isto feito, levou-a para o grande salão onde estavam o Duque e a Duquesa de Clarence, o Duque de Wellington e vários outros fidalgos e fidalgas que apresentou um por um à rainha.

Casamento de D. Pedro e D. Amélia
Debret

Tomou depois um sofá com a rainha e disse aos circunstantes:

— A rainha permite que as senhoras tomem assento.

Tudo mais, inclusive o irmão e cunhado do rei, ficou em pé.

A família real cercou a rainha. Cada um à porfia procurou agradar-lhe. Mas ninguém tanto como o rei.

À exceção de Wellington, Aberdeen e Gordon, havia em todos extraordinário prazer e admiração. Eu atribuía, contudo, uma parte disso a mera polidez. Mas quando na mesa o rei exclamou para o Duque de Wellington "que a rainha era o mais fiel retrato de sua querida Carlota"[6] quando toda a família real respondeu que haviam todos feito a mesma observação, mas reprimido de o anunciar para não penalizar a S. M., não duvidei mais da simpatia de todos pela rainha.

El-Rei mostrou à rainha que tinha ao peito as três ordens portuguesas; mas que eram antigas e dadas por seu avô. Falou sempre em francês, mas em certa altura da mesa disse: "Eu também sei falar algumas palavras portuguesas, por exemplo: a *rainha é muito bonita*".

Acabou fazendo a saúde da rainha como sua amiga e aliada.

Veio até a escada, e quando a rainha descia, acompanhada pelo Duque de Gloucester, voltou-se para toda a corte e exclamou em voz alta:

— *Elle est superbe, elle est charmante.*

A rainha pareceu algum tanto tímida a princípio, mas ganhou coragem e desempenhou o seu papel perfeitamente.

Agradecendo a saúde a el-Rei, D. Maria da Glória disse-lhe que, desde que pisara na Inglaterra, fazia todos os dias a saúde de S. M. e por isso a repetia também naquele dia.

Estando então toda a companhia de pé, com os olhos fixos na rainha, e ela separada de mim, porque estava entre o rei e o Duque de Clarence, aquela resposta admirou a toda gente. Eu entrei no número dos admiradores; porém, tinha preparado a rainha para aquela resposta.

Na despedida, a rainha deu dois abraços ao rei e disse-lhe:

— *Je vous suis infiniment obligé, oui, oui, infiniment obligé.*

---

[6] Filha morta de Jorge IV.

Estas palavras, repetidas com graça e a propósito, produziram exclamações de todos.

A polidez e a atenção do rei não se concentraram com a rainha: chegaram a mim, dando-me lugar à esquerda do seu irmão e à direita de sua cunhada, isto é, o melhor depois daquele que foi dado à rainha.

Quando Freemantle veio cumprimentar a rainha, deu-me a relação das pessoas que eram convidadas por el-Rei, a qual remeto inclusa.

Sabendo-se depois que o Marquês de Rezende também se achava em Londres, foi imediatamente convidado.

Enquanto a rainha fez um pequeno passeio pela galeria de pinturas com as duquesas, deu-me el-Rei uma pequena audiência para receber a carta de V. M. I. e falar a cada uma das pessoas que haviam tido a honra de acompanhar a sua majestade fidelíssima.

"O Duque e a Duquesa de Gloucester já pediram o dia 26 para visitar a rainha e eu darei conta do que for ocorrendo".

* * *

Mas não ficou apenas nisso. Jorge IV quis oferecer um baile à rainhazinha. Wellington se opôs... Eis o que se passou depois da recepção:

"Senhor — O Duque e Duquesa de Gloucester vieram cumprimentar a Sua Majestade, Fidelíssima no dia 26 às duas horas, e como se demorassem até as quatro, Sua Majestade os convidou para jantar, e tudo se passou na melhor ordem possível.

O Duque e Duquesa de Clarence vieram a 29, às duas horas, e também jantaram.

A Duquesa de Kent veio a 30, ao meio-dia, e por isso não jantou.

Estas visitas foram precedidas da competente etiqueta, pedindo todos pessoalmente, ou por escrito, dia e hora a Sua Majestade que lhes deixou mui polidamente a escolha livre.

A rainha irá agradecer aqueles cumprimentos nos dias 3, 5 e 7 e jantará com as princesas, as quais tiveram a delicadeza de convidar todas as pessoas que estavam na casa da rainha, sem esquecer Rezende, Itabaiana e Palmella.

Ouço que o Rei quis dar um baile à rainha neste mês; mas que Wellington se opusera. Isto posso afirmar com certeza".

Mas o Duque de Clarence, irmão do Rei, incumbiu-se de oferecer a D. Maria da Glória uma festa infantil. Foi uma festa soberba.

Compareceram a ela mais de quinhentas pessoas da mais selecionada aristocracia britânica. Barbacena narrou-a com detalhes:

"Maria da Glória brilhou ontem no magnífico baile de meninas, que lhe deu sua alteza real, o Duque de Clarence. Eram mais de 500 pessoas das quais 153 meninas.

A rainha dançou a primeira quadrilha com o filho do príncipe de Lieven; a segunda com o filho do príncipe de Polignac; a terceira com o filho do Marquês de Palmella. Dançou por último uma contradança inglesa com o sobrinho do Marquês de Londonderry.

A cada uma das contradanças vieram os pais agradecer a honra que lhes fizera dançando com os filhos.

O mestre da rainha foi quem dirigiu o baile.

Houve ceia às 10 horas. Uma mesa para a rainha e corpo diplomático; outra para o resto da companhia.

A Duquesa de Clarence não deixou a rainha um só momento; e o duque, antes de fazer a sua saúde, disse:

"Eu proponho a saúde de S. Majestade Fidelíssima, rainha de Portugal. Mas antes disso permiti, Senhora, que eu tenha a honra de beijar a vossa mão".

Levantou-se, beijou a mão da rainha, e fez a saúde a que todos corresponderam.

A rainha propôs depois a saúde do duque e da duquesa.

Às 11 horas, retirou-se e continuou o baile para os outros.

"A rainha está mui linda; foi elegantissimamente vestida e dançou muito bem".

Apesar de tantas, de tão categóricas honrarias, assim do Rei como da família real, Wellington, com a sua dúbia diplomacia, fez ver a

AS MALUQUICES DO IMPERADOR

Barbacena que o rei prestigiava apenas "moralmente" a filha de D. Pedro; mas que, dadas as circunstâncias de Portugal, dado o caso de D. Miguel já se haver apoderado do trono, a Inglaterra não forneceria vasos, nem soldados para repor a brasileirinha destronada. Barbacena não se desapontou com a revelação peremptória. Sabia bem o amigo de D. Pedro que Wellington tramara na sombra, surdamente, em prol do usurpador. Aquilo eram influências secretas de Metternich.

Ora, foi nesse momento exatamente que D. Amélia contratou o seu casamento com D. Pedro. Tornava-se necessário levar a noiva para o Brasil. Bem viu Barbacena que a estada de D. Maria da Glória na Inglaterra, além de dispendiosíssima, era duma inutilidade clamante. Que faz então? Isto: embarca a noiva e embarca a rainhazinha na mesma fragata, rumo do Rio de Janeiro.

Veio assim D. Maria da Glória, aquela doce rainhazinha de nove anos, pôr-se debaixo do amparo de seu pai, o seu único amigo. Viu a menina, logo no início da vida pública, o tio a perjurar miseravelmente; o noivo a atraiçoá-la com a mais cínica perfídia, os gabinetes europeus a conspirarem sem dó contra ela. Restava-lhe apenas D. Pedro. E D. Pedro, o pai amorosíssimo, nunca mais pôde tragar o fel dessa infâmia. Vingar-se de D. Miguel foi, desde então, a sua idéia obcidente. E essa idéia, não há negar, tornou-se uma das coisas mais fortes para a abdicação de 7 de abril.

IV

D. Maria da Glória desembarcou no Rio de Janeiro. Aqui, junto do pai, veio assistir à rainhazinha a mais fragorosa rajada política que já desabara sobre o Brasil. Foi o 7 de abril. Meia dúzia de baionetas, atiçadas pela fúria dos liberais, escorraçaram do Império aquele mesmo que o fundara. D. Pedro, em cuja cabeça luziram, num fugaz momento, duas cobiçadas coroas, perdeu-as a ambas nos entrechoques da política. A primeira, a de Portugal, abdicou na filha, D. Maria da

Glória; a outra, a do Brasil, que ele criara, teve que abdicar no filhinho de cinco anos. E na data trágica, sem um único amigo, abandonado como um galé, D. Pedro embarcou na nau "*Warspite*", a caminho do seu exílio. Partiu, enfim, do Brasil, para nunca mais, o homem que durante nove anos plasmara entre as mãos o Império nascente.

Na sua queda, porém, havia um pensamento que o soerguia: D. Maria da Glória! Desde que o mano Miguel, com aquela arrepiante felonia, ludibriara-o tão descaradamente, desde que vira o usurpador, com tão repugnante despejo, romper os esponsais com a filha, despojá-la da coroa, aclamar-se rei absoluto de Portugal, D. Pedro não teve mais um apagado minuto de felicidade. Todo ele era fel. Todo ele era vingança. Acutilava-o, dia e noite, um pensamento só: desforrar-se do irmão. Sacudia-lhe os nervos, aqueles nervos de eterno arrebatado, um desejo bravio de esmagar o rei pérfido, pisá-lo, moê-lo debaixo dos pés como se mói uma víbora. Por isso, talvez, no desastre irreparável, na perda daquele trono amado, trono que talhara com a sua espada, e com a galhardia dos seus vinte e poucos anos, na hora fúnebre, a mais lutuosa da sua vida, talvez ainda lhe sorrisse, como última esperança e como último consolo, a idéia de que iria enfim, por esses mares afora, despejar do trono da filha o irmão infame.

E D. Pedro partiu. Cavaleiro andante, D. Quixote real, aquele fogoso imperador de novelas foi repor na fronte da menina o diadema que o noivo lhe arrebatara. Tomou para si, muito singelamente, o título de Duque de Bragança; e assim sem coroa nem império, D. Pedro partiu magnificamente, rumo da nova cruzada.

* * *

Londres. Recepções. Audiências com o Rei. Festas. Em meio às honrarias, no entanto, a desesperadora frieza de Wellington. O governo britânico continuava inabalável: apoiava apenas *moralmente* a causa da rainha. Escusou-se de fornecer soldados. Escusou-se de fornecer um só vaso de guerra. Escusou-se de fornecer dinheiro.

D. Pedro à vista disso, partiu para Paris. Luís Filipe agasalhou-o com mimos e deferências. Mas, o "Rei-cidadão", tal como Wellington, não ofereceu ao pai visionário um único auxílio de guerra.

D. Pedro sentiu claro a sua desajuda. Viu que tinha de contar consigo, exclusivamente consigo, para aquela aventura perigosíssima.

Mas a causa da rainhazinha empolgara doidamente os constitucionais portugueses. D. Miguel, no pináculo do poder, encampara vinganças tenebrosas. Os constitucionais emigraram aos bandos de Portugal. Emigraram para toda parte. Para as ilhas, para o Brasil, para a Espanha, para a França, para a Inglaterra. Na Inglaterra, especialmente, havia turbas de foragidos políticos. Ficaram famosos os galpões de Londres e de Falmouth, onde se alojara aquela multidão de perseguidos. Tudo fugira à sanha de D. Miguel. E tudo, no exílio, andava à cata duma bandeira, a cuja sombra pudesse defender a legitimidade da Rainha e da Carta. D. Pedro, ao chegar, foi o homem providencial. Os portugueses assediaram-no avidamente. Todos congregaram-se em torno do Duque de Bragança. Eram entusiasmos e dedicações incríveis. Todos queriam morrer pela rainhazinha usurpada. Que fazer?

Aterrorizava D. Pedro uma idéia seriíssima: a questão financeira. Como haveria de meter-se numa guerra sem dinheiro? Como combater, assim liricamente, um soberano que tinha cem mil baionetas para ampará-lo? Um soberano que tinha os cofres da Nação ao seu dispor? Era arriscadíssimo! Mas D. Pedro, acuado por aqueles homens sedentos de lutas, tomou a deliberação suprema: arrojou-se na empresa. Conseguiu um emprestimozinho em Londres, com a casa Samuel Philipps & Cia. Fez o seu testamento. E um dia, em Paris, com os olhos enxutos, a alma leve, beijou a mão da filha, sua Rainha e Senhora: e lá se foi, lidador visionário, rumo da Ilha Terceira, encabeçar a guerra contra o usurpador.

D. Pedro aportou na ilha fiel. A chegada do Duque de Bragança foi uma descarga elétrica. Despertou coragens loucas. Incendiou alegrias inenarráveis. Uma loucura! De toda parte, como por milagre, surgiam emigrados. Era um formigar de gente. Não havia fragata, não havia chalupa, não havia barquito por mais leve que, ao abicar na ilha, não trouxesse um revolucionário. D. Pedro, desajudado dos povos, sem dinheiro, banido do trono, em plena desgraça, fez esta coisa única, fabulosa: reuniu em torno de si um exército de mais de sete mil homens! Sete mil homens que vieram prontos, absolutamente prontos, a morrer combatendo. E que homens eram esses? Tudo que Portugal teve então de mais representativo na inteligência. Rapazes que clamavam por uma constituição. Bandos de sonhadores galhardos. D. Maria da Glória, para esses nobres, ardentíssimos idealistas, não era apenas uma rainhazinha usurpada: era a encarnação graciosa da liberdade e do constitucionalismo!

E foi assim, na Terceira, durante aqueles dias de aprestos e febre, que viu D. Pedro chegar um moço de vinte e poucos anos. Tinha o ar grave. Falava pouco. Vinha enrolado numa capa sombria. Esse moço, assim misterioso, veio disposto a dar a vida pela Carta. Alistou-se singelamente, como soldado. Quem era? Quem era o rapaz estranho? Naquele instante não era ninguém. Mais tarde, na história das letras, teve um nome formidável: Alexandre Herculano.

Depois, vindo de Paris, metido no seu uniforme azul-ferrete, peitilho branco, saltou alegremente na rocha da Liberdade outro mancebo jovialíssimo. Esse estava em plena voga. Um triunfador. Era o poeta adorado das mulheres. Homem de grande fama galante. Quem era o moço glorioso? Aquele que fulgurou como um sol: Almeida Garrett.

E lá no continente, vexado e humilhado, perseguido como os celerados, mas pregando alto a causa da Rainha, defendendo com uma coragem incrível a constituição outorgada por D. Pedro, havia também um homem gigante. Era velho. Era cego. Mas na fronte desse fantasma enramara-se a mais soberba das coroas de louros. Quem era o homem velho e cego? Era Castilho.

D. Pedro, na Terceira, mostrou-se duma atividade assombrosa. A ilha, num momento, tornou-se o cérebro do constitucionalismo. Foi dali, daquele grão de areia, que se irradiou o movimento contra

D. Miguel. O arquipélago inteiro dos Açores aderiu, instantaneamente, à causa simpática. E viu-se então, naqueles dias de esperança e sonho, a figura varonil de D. Pedro dirigir os trabalhos com entusiasmo de fanático. O Duque de Bragança falava em pessoa aos soldados. Arregimentava-os. Comandava exercícios. Fazia polir as armas. Lançava proclamações. Corria de ilha a ilha. Incentivava. Acutilava. Incendiava. Era uma chama viva! No meio das suas solicitudes, entre tantos fragores, ainda teve tempo para oferecer bailes à sociedade da Terceira. Ainda teve tempo — oh, magnífico D. Pedro! — de realizar uma aventura galantíssima, que marca fundo o seu caráter de romântico. Essa aventura, contou-nos Alberto Pimentel n'"A Corte de D. Pedro IV", um dos livros mais sólidos e mais picturais que já se escreveram sobre D. Pedro. Ei-la:

"O próprio D. Pedro, conquanto educado numa corte que nunca pudera ter sido escola de cavaleiros e poetas, tinha, nos Açores, gentilezas de 'galant'uomo', delicadezas de Rei Artur. Em Angra, servira de paço real o antigo colégio dos jesuítas. O Imperador dava partidas de jogo. Ele gostava principalmente do bilhar. De vez em quando, havia recepção para as damas. Iluminava-se o salão nobre. D. Pedro mostrava-se amável, lhano com as terceirenses. Era sempre o primeiro a romper o baile. Algumas noites, em que não recebia, ou depois de ter recebido, saía pelas ruas, disfarçado, com o uniforme de simples oficial, fardete de baeta azul, calça de brim. De longe o seguiam, para guardá-lo, dois dos seus ajudantes de campo. Entrava nos botequins. Comprava tabaco. Tomava qualquer bebida. Demorava-se escutando as conversações, queria ouvir o que se dizia dele e da sua empresa. Sondar a opinião pública"...

* * *

"Da Terceira, foi D. Pedro um dia ao Faial, visitar o seu 'arsenal de marinha', como ele dizia, a fim de inteirar-se do fornecimento e equipamento da sua improvisada esquadra. Hospedou-se, na cidade

Horta, no belo solar dos Terra Bruns. O fidalgo quis sair com todas as pessoas da casa. Deixava assim livre o palacete para maior regalo de tão ilustre hóspede. D. Pedro, porém, obstou a esse desígnio. Convidou o amável hospedeiro a ficar, fazendo-lhe sentir que, longe da família, lhe seria agradável ter a companhia de outra família, posto que estranha, dedicada.

O morgado Terra Brun obedeceu.

Vivendo na intimidade daquela gente, juntando-se todos à mesma mesa, o Imperador viu logo que o morgado estimava especialmente a filha mais velha. O aniversário natalício da moça, a vinte e dois de maio, festejar-se-ia em breve com um baile suntuoso. D. Pedro mostrara pena de não poder assistir ao baile. Mas os trabalhos da expedição chamavam-no de novo à Ilha Terceira. O dono da casa mostrou ainda maior pena e maior pesar por essa forçada ausência do Imperador. Mas D. Pedro, depois de refletir uns momentos, disse-lhe:

— Pois deixe estar; hei de vir de propósito.

Chegou a noite do baile. Lembravam-se todos, com vaga esperança, da promessa do Imperador. Infelizmente, o Imperador faltara...

Mas eis que, pelo meio da noite, enquanto se dançava uma quadrilha, entra pelos jardins iluminados, sobe aos salões resplandecentes, alguém misteriosamente embuçado numa ampla capa, que lhe encobre o rosto. Entra. Encosta-se a uma coluna. Contempla o aspecto da sala, a alegria do baile. Quem será? Presumem todos que seja um parente, um amigo, alguém que veio amavelmente fazer aquela surpresa. Mas o desconhecido continua imóvel. Observa tudo e todos, sem arrancar o disfarce. Chega, porém, um momento em que a curiosidade se impacienta. É preciso que aquele misterioso adventício se dê a conhecer. Então, em plena sala, diante de todos, o vulto deixa cair inesperadamente o disfarce: e ali, com pasmo de toda gente, aparece D. Pedro, de casaca, gravata branca, grã-cruz de Cristo a tiracolo!

— Vê meu amigo, disse D. Pedro ao dono da casa, com um sorriso: assim cumpre o Duque de Bragança a palavra do Imperador.

Realmente! Para a cumprir, D. Pedro, com uma gentileza verdadeiramente cavalheiresca, havia feito à noite, no seu iate, da Terceira ao Faial, uma viagem de dezenove léguas!"

* * *

Assim, com esses gestos de herói de cavalaria, moço e belo, encarnando a grande aspiração portuguesa do momento, que era a Carta Constitucional, D. Pedro se tornou um general popularíssimo, um dos condutores de homens mais adorados que já viu o mundo. Aqueles sete mil voluntários fremiam de entusiasmo. Fascinavam-se pelo chefe. E mal municiados, mal vestidos, sem dinheiro, seguiam-no de olhos vendados, seguiam-no lunaticamente, nessa aventura quixotesca de repor no trono uma menina a quem o noivo esbulhara a coroa. E aquele exercitozinho, um belo dia, lançou aos ventos, entre uivos de júbilo, a bandeira que a linda Maria da Glória lhe mandara. Era uma bandeira bordada gentilmente pelas mãos da própria rainhazinha. E aquele bando vidente enfiou-se, com uma alegria louca, em meia dúzia de navios: lá se foi tudo aquilo, com D. Pedro à frente, ao som do hino, desembarcar de improviso na cidade do Porto...

V

No dia 7 de julho de 1832, ao pôr-do-sol, tremularam em frente ao Porto as flâmulas dos navios constitucionais. A notícia arrebentou como uma bomba. Era uma boca só:

— Aí vem D. Pedro! Aí vem D. Pedro!

E foi um pânico. Durante toda a noite, na velha cidade, ouviu-se o fragor desesperado dos fugitivos. Todo o mundo partiu, num atropelo, desabaladamente. O primeiro que fugiu foi o Bispo. Depois, os Desembargadores da Relação. Depois, a arraia-miúda. Depois, fulminados de terror, os próprios soldados de D. Miguel. D. Pedro, à vista disso, pôde desembarcar sossegadamente. O Porto tinha o ar desfeito, murcho. E o desfilar das tropas constitucionais foi lúgubre, entristecedor. Debalde, na Rua de Cedofeita, dos balcões vistosamente recobertos de colchas da Índia, tombavam flores que as senhoras constitucionais arremessavam com delírio. Debalde, enfiada na carabina dos soldados, floria uma grande, uma risonha hortênsia azul. A marcha, pelo Porto adentro, tinha um aspecto de luto. Os soldados desfilavam sujos, mal vestidos, mal montados, mal dormidos. Diz uma testemunha ocular, referida por Alberto Pimentel:

"Sete mil e duzentas baionetas eram contadas nas fileiras. Nenhum cavalo traziam para o uso dos oficiais do Estado-Maior. D. Pedro, mesmo, vinha montado num garrano, dádiva do dia. Sua artilharia não passava de três peças ligeiras puxadas por homens".

Havia uma promiscuidade carnavalesca de uniformes. Uma expedição dolorosa de exército organizado às pressas. Todos ressumavam quebreira. "O próprio D. Pedro, na sua vil montada quixotesca, vinha fatigadíssimo. Tinha marchado a pé toda a noite, guiando uma das colunas do exército, a esquerda."

Arranchou-se enfim no Porto a tropa idealista. E começou então, na vida de D. Pedro a página épica. O sonho que o ferreteava, aquela fortíssima ambição de vingar a filha, fez do Bragança um dos mais fulgurantes heróis da História Portuguesa. Ainda não se viu maior chama, nem mais férvido entusiasmo, nem paixão mais louca. Nem houve ainda maior alegria nas canseiras, nem maior intrepidez nos fracassos. D. Pedro foi grande, foi grandíssimo, nessa hora incerta do Porto. A sua vida resumiu-se em arregimentar, fortificar a cidade, trabalhar em pessoa com os soldados, vigiar dia e noite, multiplicar-se, estar em toda parte, resolver, não dormir. Tudo isso, todo esse prodígio de energias, circundou aquele príncipe magnífico dum límpido clarão de glória. Diz o interessantíssimo historiador, que vimos seguindo neste lance:

"O Imperador assombrava. Infatigável, madrugador, ativíssimo. Ia se tornando, cada dia, mais popular. E desenvolvia uma operosidade

AS MALUQUICES DO IMPERADOR

prodigiosa. Mostrava-se diligentíssimo, assistindo, dirigindo, cola-borando nas obras da fortificação da cidade. Aparecia em toda parte. Percorria toda a extensão das linhas. Ele próprio manejava, muitas vezes, a ferramenta do trabalho".

Toda essa energia, esse desmedido esbanjar de forças, fazia-o D. Pedro desataviadamente, sem complicações. Era duma simplici-dade de encantar. Lá diz o cronista: "D. Pedro fez o cerco do Porto com um casacão, que às vezes despia, ficando em mangas de camisa para trabalhar melhor".

E foi assim, despejado de protocolos, metido no seu famoso casa-cão, a barba crescida, que o Duque de Bragança esperou as tropas do irmão usurpador.

* * *

Os miguelistas eram comandados pelo General Santa Marta. Os constitucionais, pelo General Solignac, francês. Os primeiros encon-tros foram desastrosíssimos para D. Pedro. Os miguelistas ganharam o combate de Penafiel. Ganharam o combate de Porto Ferreira. Ga-nharam o combate da Serra do Pilar. Tão graves desastres, tão repe-tidos, entenebreceram aquele exercitozinho de utopistas. E rompeu nele o desânimo. Sentiram todos, desde D. Pedro ao último furriel, que a empresa era demasiado temerária. Não havia soldado, nem ar-mas capazes de enfrentar o poderio do rei. Foi nesta situação, neste momento de descrença, que teve D. Pedro uma idéia salvadora: man-dou buscar Saldanha, um bravíssimo soldado, militar de gênio. Sal-danha tinha feito a guerra da Península; a campanha de Montevidéu: vencera Artigas; fora governador da Província do Rio Grande e recu-sara-se a ficar na América ao serviço de D. Pedro. Em 1820, sendo governador das armas do Porto, é ele quem força a regência a jurar e a proclamar a Carta. E isto com grande surpresa para a aristocracia do País, pois que nenhum esperava que um fidalgo saísse em defesa das concessões democráticas.

213

Não podia D. Pedro ter escolhido, com maior tino, um general. Saldanha seduzia pelo talento e pelas maneiras. Era soldado guapíssimo. Era um homem de raros encantos pessoais. O retrato que dele nos fez o pitoresco historiador, que venho seguindo, é duma justeza de mestre:

"Saldanha era, então, um homem de quarenta e três anos. Alto, encorpado, gentil, com umas feições masculamente formosas. Sabia falar aos soldados e às damas. Tão bem estava no campo de batalha como nas salas de baile. E todos os seus dotes físicos e intelectuais, todo o seu prestígio militar, tinha a sobredourá-los o relance do nascimento: era, por sua mãe, um neto do grande Pombal. Entrara no mundo pela porta da superioridade. Habituara-se a ser um homem superior em toda parte. Aos vinte e três anos, comandava já uma brigada. Acostumara-se a mandar e a ser obedecido. Daqui, e do seu sangue quente, muito peninsular, os defeitos das suas qualidades".

Foi esse homem, na verdade, quem fez triunfar a causa da rainhazinha brasileira. Foi esse homem, com a sua varonilidade, com ou seus golpes de capitão heróico, quem implantou em Portugal a carta constitucional. D. Pedro foi o sonho, Saldanha foi a ação.

Desde que assumiu o comando das tropas, transfigurou-se, como por sortilégio, a sorte das armas constitucionais. O seu primeiro encontro com as tropas miguelistas deu-se entre o Pasteleiro e o Pinhal: Saldanha desbaratou-as num pronto. Foi a primeira vitória dos rebeldes.

Logo após, num movimento temeroso, os miguelistas atacaram toda a linha esquerda do Porto. Saldanha rechaçou-os soberbamente. Rechaçou-os com tanto brilho que D. Pedro, entusiasmadíssimo, ali mesmo, no próprio campo de batalha, promove Saldanha a tenente-general.

Os constitucionais tiveram assim o seu segundo triunfo. E desde então, graças a Saldanha, desencadearam-se vitórias sobre vitórias. Aquele homem tornara-se realmente providencial. Tudo, com ele, renasceu. Reverdeceram todas as alegrias. As esperanças todas refloriram. Foi uma rajada de sangue novo!

AS MALUQUICES DO IMPERADOR

Os constitucionais, com esses júbilos fortes dentro do coração, esperaram o combate decisivo. Foi no dia 25 de julho. O próprio D. Miguel, em pessoa, viera ao Minho dirigir a campanha. Aprestou-se tudo. Houve grande lufa-lufa. Ia enfim travar-se um combate de morte. E o combate travou-se. Que coisa tremenda! É assim que nô-lo transmitiu o cronista:

"O ataque foi realmente terrível, desesperado; 'infernal', chama-lhe um escritor. As investidas sucedem-se desde o romper da manhã. Os miguelistas têm vantagens por momentos; mas são repelidos, esmagados. Na linha direita, pelo Bonfim, conseguem penetrar na cidade. A infantaria cede; retira precipitadamente. Mas Saldanha chega a tempo. Vem da linha esquerda. Aparece por uma inspiração feliz. Não tendo outros recursos de que lançar mão põe-se à frente do seu estado-maior e, seguido por vinte lanceiros carrega, de espada na mão, doidamente, cegamente, sobre o inimigo. Desconcerta-o. Assusta-o. Varre-o. Triunfa, enfim!

"Os dois irmãos, D. Pedro e D. Miguel, assistiam ambos a essa formidável batalha. D. Pedro, no 'forte da Glória'; D. Miguel, no 'forte de S. Gens'. Diz-se que D. Miguel, vendo a derrota do seu exército, arremessara ao chão, com desespero, os seus óculos de campanha. E o imperador, entusiasmado com Saldanha, condecora-o ali com a grã-cruz da Torre e Espada."

D. Pedro triunfara. E esse triunfo, que foi dos mais altos, teve também a correspondê-lo um outro altíssimo feito de guerra:

O Duque da Terceira fora mandado ao Algarve, numa expedição. E conseguira êxitos estrondosos. As suas armas levavam tudo de roldão. De tal forma, com tanta estrela, que as guarnições de Lisboa, aterrorizadas, abandonaram espavoridamente a cidade. O Duque da Terceira, à frente do seu exército, entrou com estrépito em Lisboa: era o supremo triunfo! Estava ganha a causa da Rainha... D. Pedro delirou. Os constitucionais deliraram. Não há palavra que pinte a doidice do exército.

E o Duque de Bragança, ao saber da notícia fragorosa, deixa Saldanha no Porto. Embarca para Lisboa: entra vencedoramente na

Capital. Senhor da situação, D. Pedro instala-se no Palácio das Necessidades. Forma o ministério. E, sem mais demora, mandou buscar a Rainha em Paris.

* * *

A 22 de setembro de 1833 aportou, enfim no Tejo, ovacionada, apoteosada, ídolo do povo, a mimosa rainhazinha constitucional. D. Maria da Glória veio, acompanhada da sua madrasta, a ex-imperatriz D. Amélia. D. Pedro, no cais, ofegante e emocionado, recebeu-a nos braços. Recebeu nos braços, chorando, aquela por quem arriscara a vida, os teres, a honra. Ao verem-se, ao aconchegarem-se num aperto afetuosíssimo, o hino rompeu com fúria, estrepitosamente. E da multidão imensa, que atulhava o cais, romperam vivas frenéticos. Romperam vivas loucos em honra de D. Maria da Glória. A menina, com a sua vozinha límpida, muito doce, gritou em meio daquele oceano de berros:

— Viva a Carta Constitucional!

E foi, no cais, um delírio. Um delírio inenarrável! Uma apoteose!

Estava ganha a revolução...

* * *

Mais uns combates, e o próprio D. Miguel fugia para Santarém. Mais uns combates ainda, e D. Miguel fugia para o Alentejo. Mais umas últimas escaramuças, e D. Miguel era definitivamente escorraçado de Portugal. Pôde, enfim, D. Pedro, culminando na glória, fazer sentar no trono a filha. Vingou-se assim de todos os ultrajes. Teve a altíssima felicidade de resgatar, pelo seu heroísmo quixotesco, a mais dolorosa das injustiças que o irmão ingrato lhe havia feito. E com essa aventura de louco, a mais bela e a mais nobre da sua vida, D. Pedro realizou estas duas coisas formidáveis: dar a Portugal uma rainha e dar a Portugal uma constituição.

Nada mais justo, portanto, do que essa estátua de bronze que hoje se ergue olimpicamente, em pleno Rocio, nessa deliciosa Lisboa: é a estátua de Pedro IV de Portugal. O Imperador constitucional bem a mereceu.

Graças a D. Pedro, graças a esse visionário magnífico, D. Maria da Glória ganhou uma coroa. Foi D. Maria II de Portugal. Foi a primeira e única rainha brasileira.

A partida da corte do Rio
Debret

07 DE ABRIL

Imperador D. Pedro II
Felix-Emile Taunay

Eis como se passou, no Rio, o 7 de Abril:
    Dentro, no Salão Encarnado, o velho relógio de mogno bateu doze longas, lentas badaladas. Meia-noite...
No Paço, àquela hora morta, vai um quadro doloroso. Há pelo ambiente tristezas enormes. D. Pedro, os braços às costas, sisudo, passeia soturnamente pelo salão. O Imperador mostra um ar inquieto. Erra por todo ele qualquer coisa de lúgubre. A Imperatriz D. Amélia, sentada, numa cadeira de espaldar, o rosto fincado na mão, tem os olhos vermelhos de chorar. Lá está o Ministro da França. Lá está o Ministro da Inglaterra. Lá estão os Secretários de Estado. Ninguém ousa uma palavra. Silêncio imenso. Apenas, nos candelabros de prata, crepitam grandes luzes avermelhadas. Aquele crepitar põe tonalidades dramáticas na cena. De repente, erguendo o reposteiro, o Intendente de Polícia, Lopes Gama, penetra no salão:
    — Majestade! O Major Frias acaba de chegar. Traz uma comunicação do General Lima e Silva.
    — Que entre!

O Major Frias entra. D. Pedro atende-o com ânsia.

— O Campo de Sant'Ana está fervendo, Majestade! O motim que estourou é dos mais graves. Vem aí uma deputação de Juízes de Paz, em nome do povo, entender-se com Vossa Majestade. O General Lima e Silva pede instruções.

E D. Pedro, áspero:

— Receberei os Juízes de Paz. Diga ao Lima e Silva que conserve a tropa de prontidão. Pode ir...

O Major Frias perfilou-se, rodou nos calcanhares, partiu desabalado. No Salão, sob a luz vermelha dos candelabros, retombou o mesmo silêncio. D. Pedro, as mãos às costas, continuou as suas passadas soturnas.

Nisso, lá fora, ouve-se um rodar de sege. Vozes. Há um rumor de gente subindo as escadarias. O Marquês de Paranaguá murmura para o Baependi:

— São os Juízes de Paz.

Eram os Juízes, de fato. Lopes Gama introduziu-os no Salão Encarnado. D. Pedro, com grande raiva concentrada, ouviu a embaixada dos populares. Os homens diziam isto:

— O povo amotinou-se por causa do novo Ministério. Os homens, que V. Majestade escolheu, não correspondem à confiança pública. Ninguém os quer. Eis a causa da arruaça. E o motim avoluma-se de instante a instante. Tudo aquilo exige a mudança dos ministros. E exige de tal forma, que, se Vossa Majestade não ceder, poderão resultar daí conseqüências gravíssimas.

D. Pedro sorriu um sorriso amargo. Um sorriso de desdém e cólera.

— Os senhores voltem ao Campo de Sant'Ana e digam ao povo que não cedo. A Constituição outorga-me o direito de escolher livremente os meus ministros. Esses, que eu escolhi, são os da minha confiança. Não vejo razão para demiti-los. Os senhores digam ao povo que eu não cedo!

Levantou-se, tomou da Constituição, leu em voz alta o artigo que lhe conferia poderes de escolher à vontade os secretários de Estado.

AS MALUQUICES DO IMPERADOR

— Vejam os senhores que o povo quer invadir as minhas atribuições. Ora, isso eu não admito. Não cedo... Podem retirar-se!

Os Juízes ergueram-se. Fizeram uma reverência protocolar. Iam sair. Mas D. Pedro conteve-os um instante:

— Os senhores, no entanto, procurem sossegar o povo. Eu estou pronto a fazer tudo "para" o povo; nada, porém "pelo" povo... E depois duma pequena pausa:

— Quantas pessoas há no Campo?

Um dos Juízes:

— Quatro mil pessoas, mais ou menos...

O Imperador fez um muxoxo irônico. E com desprezo:

— Qual... Nem dois mil!

E despediu os Juízes com um gesto.

* * *

D. Pedro impopularizara-se terrivelmente. O homem, que a 7 de Setembro fora um deus, tinha agora o povo, aquele mesmo povo que o apoteosara, insurgido com fúria contra ele.

Era funda a divergência que se abrira entre o Imperador e a opinião pública. Na Câmara, durante as últimas sessões, viu D. Pedro nitidamente as rajadas de oposição que se desencadearam. Os deputados falavam com desassombro. Evaristo da Veiga e o Padre Custódio Dias diziam as coisas claro, às escâncaras. D. Pedro encolerizou-se. Não pôde esconder o despeito que o azedava. Na "fala do trono", o ato oficial mais respeitável da monarquia, a irritação do soberano veio à tona, desmascarada. Foi assim:

O recinto da assembléia atulhara-se de povo. Todos os diplomatas. Todos os altos dignitários. O Bispo. Fidalgas, camareiras, grandes damas. D. Pedro apareceu com as vistosas etiquetas do protocolo. Trazia a coroa, o cetro, o manto imperial com o papo de tucano. No silêncio que fez, um silêncio rígido e solene, o Imperador levantou-se. E com assombro de toda gente, rápido e cortante, pronunciou esta célebre "fala do trono":

— "Augustos e digníssimos senhores representantes da Nação: Está encerrada a sessão".

E saiu do recinto. Aquela secura chocou a todos. Foi acinte e desaforo. Os deputados sentiram na alma o gume daquela frase. E desde então, cada vez mais intransponível, aumentara a distância que separava o Imperador da opinião pública. A impopularidade de D. Pedro tocou ao limite extremo. E a causa principal desse exagero veio, por certo, daquela velha rusga, ainda não sopitada, entre brasileiros e portugueses. D. Pedro, depois que o irmão Miguel usurpou a coroa da sua filha Maria da Glória, não cuidava de outra coisa senão dos negócios do Reino. Os portugueses, perseguidos políticos, emigravam da terra aos bandos. Numerosíssimos desembarcaram no Brasil. D. Pedro recebeu-os com o maior agasalho. Protegeu-os. Vivia circundado por eles. O partido português, que já era poderoso, engrossou-se espantosamente com os recém-chegados. Prestigiou-se. Encheu-se das boas graças do Imperador. Chegou mesmo a atiçar seriamente esta temeridade: unir de novo Portugal e Brasil, debaixo do mesmo cetro de D. Pedro I. Isto era fundamente inconstitucional. Isto golpeou de morte o melindre dos nacionais. Toda gente ergueu-se então contra D. Pedro. Não houve mais brasileiro que visse com bons olhos a causa do Imperador. Um desgosto geral. Foi nestas aperturas que D. Pedro pensou atenuar um pouco a sua impopularidade. E sua Majestade partiu para Minas numa viagem que fez época.

Viu o soberano, nesse peregrinar pelos rincões daquelas serras, as desabusadas antipatias que criara. Os mineiros receberam-no com uma frieza altamente significativa. Não houve charangas, nem foguetes, nem arcos. Uma indiferença afrontosa em toda parte. Numa cidade, ao entrar o augusto itinerante, chegaram os sinos dobrar a finados.

D. Pedro assistiu em Vila Rica às eleições para senador. O candidato do governo era Silva Maia, antigo ministro. D. Pedro, apesar dos seus pedidos, apesar dos esforços imensos que pessoalmente fez, perdeu as eleições em Minas.

Sua Majestade voltou para a Corte desapontadíssimo.

No entanto, com inabilidade espantosa, apareceu em público, logo após o seu retorno, circundado ostensivamente por uma corte de portugueses. Isso irritou sobremodo os ânimos. Planejou-se, então, uma frisante demonstração de desagrado. Ia-se comemorar o aniversário da outorga da Constituição. Os liberais prepararam um Te-Deum suntuoso. Houve, para tal fim, grande subscrição popular. O Rio inteiro movimentou-se. O Te-Deum tornou-se o acontecimento máximo. Os Chefes do movimento, muito propositadamente, não convidaram o Imperador para assistir a ele. Não convidaram um único ministro. Não convidaram uma só pessoa do mundo oficial. D. Pedro sentiu bem o desacato. Mas imaginou logo, velho temperamento romântico, reconquistar as simpatias da opinião com um daqueles seus gestos teatrais, gestos que inflamavam a imaginação da massa. E que é que fez? Isto:

Foi no momento exato em que o Te-Deum ia principiar. A Igreja transbordava. O povo acotovelava-se dentro da nave. E eis que D. Pedro, inesperadamente seguido pela Imperatriz, ladeado por todos os ministros, surge dramaticamente em plena Igreja...

Grande pasmo! Toda gente abriu a boca! Era incrível. Mas uma voz, quebrando a surpresa, reboou forte:

— Viva a Constituição!

D. Pedro murchou. Pensava o Imperador que a sua presença arrancaria vivas delirantes. Que a sua chegada imprevista faria desencadear um tufão de aplausos. Mas qual! Prorrompeu, de todo o lado, este grito único:

— Viva a Constituição!

D. Pedro respondeu apenas:

— Eu sempre fui constitucional.

Mas outra voz, destemerosa e vibrante, reboou pela Igreja:

— Viva D. Pedro II!

D. Pedro gelou. Aquele viva era mais que desprestígio: era quase insulto à sua pessoa. E um turbilhão de brados irrompeu ensurdecedoramente:

— Viva D. Pedro II!

O Imperador, confuso, mal pôde balbuciar:

— Ainda é muito criança...

Virou as costas e saiu. Falhara o golpe dramático... Não restava dúvida alguma: D. Pedro impopularizara-se definitivamente.

É justamente, nesse instante, na efervescência dos descontentamentos, que teve o monarca a idéia desastrada de despedir o ministério. Substituiu-o, no dia 6 de abril, por homens escolhidos entre a "aristocracia titular". Eram eles: Paranaguá, na Marinha; Baependi, na Fazenda; Inhambupe, no Império; Aracati, nos Estrangeiros; Lages, na Guerra; Alcântara, na Justiça.

Esse gabinete foi a gota d'água. Com ele, transbordou a ira popular: ninguém aceitou os "fidalgos do ministério"! Todas as classes e todos os partidos, deputados e jornalistas, militares e padres, letrados e burgueses, liberais e conservadores, tudo se rebelou contra a escolha de D. Pedro.

Eis porque, naquele dia, fervilhava o motim no Campo de Sant'Ana.

* * *

Quando os Juízes de Paz tornaram com a resposta do Imperador, já a multidão tinha tomado atitudes desbragadas e ameaçadoras. E com razão. Não se tratava mais, naquele instante, dum reles motim de arraia-miúda. Não! O movimento engrossara temerosamente: o exército, o próprio exército, irmanara-se com o povo. Vários batalhões haviam marchado para o Campo de Sant'Ana. Unira-se já aos insurgentes o primeiro corpo de artilharia. E também o segundo. E também a companhia dos granadeiros. Um perigo! Pela praça, sacudindo-a, estrondavam gritos desabalados:

— Abaixo o Ministério! Abaixo o Ministério!

Toda a ralé do Saco da Gamboa bramia solta. Desembocavam a todo o instante bandos de capoeiras. Havia magotes deles, armados de grandes trabucos, que formavam grupos temerosos, a que o povo apelidara de centúrias. Havia a centúria do "Girão", um mulato atarracado e vesgo. Havia a centúria do "República", um pardo facínora, habilíssimo na navalha. Havia a centúria do "Lafuente", um espanhol da Catalunha, mal encarado, tremendo matador de gente. E a choldra, entreverada com os soldados, cônscia do apoio da tropa, uivava sem cessar:

— Morra D. Pedro! Abaixo o Ministério!

O General Lima e Silva compreendeu a gravidade daquilo. A co-participação da força nos desatinos dos patriotas dava ao motim uma autoridade impressionante. Que fazer? Lima e Silva despachou novamente o Major Frias ao Paço.

D. Pedro, dentro do Salão Encarnado, continuava naquela mesma situação dolorosa. Andava em tudo a mesma tristeza. O mesmo silêncio acabrunhador. Os ministros tinham o aspecto desolante. A Imperatriz, de quando em quando, levava o lenço aos olhos. Ninguém pronunciava palavra. De repente, com estrondo, o Intendente de Polícia entrou esbaforido:

— A guarda do Paço partiu para o Campo de Sant'Ana!

— Que diz? A guarda do Paço?

— Sim, Majestade. Partiu para o Campo! O "Batalhão do Imperador" também. Foram todos se unir aos amotinados...

D. Pedro estremeceu. Aquela notícia doeu-lhe como uma punhalada. Todos os circunstantes ouviram-na, estupefatos. Que situação lancinante!

Nisso, no silêncio que retombou, aparece bruscamente o Major Frias. O Imperador corre a recebê-lo. Sua Majestade agora está agitadíssimo:

— Que há, Major?

O Major Frias desanda num escachôo:

— O Campo de Sant'Ana está negro de povo. Fervem berreiros loucos. Os patriotas açulam o povo. Todos exigem a queda do Ministério. Para remate disso é preciso que V. Majestade saiba — o primeiro batalhão de artilharia já se uniu aos revoltosos...

— O primeiro batalhão?

— O primeiro e o segundo. Mais ainda: os granadeiros vieram em massa apoiar o motim. E agora, ao vir para aqui, topei em caminho com o batalhão do Imperador marchando para o Campo... O General Lima e Silva manda comunicar a Vossa Majestade que a situação se tornou amendrontadora. O general diz que, para apaziguar a fervedura, Vossa Majestade precisa demitir o ministério...

D. Pedro ouviu. Aquilo lancetou-o. E Sua Majestade, com um gesto áspero:

— Demitir o ministério? De forma alguma! Isto seria contra a Constituição; isto seria contra a minha honra. Antes abdicar... Antes a morte!

Palavras candentes, na verdade; palavras magníficas para um Imperador que tivesse milhares de baionetas a ampará-lo. Mas ali, àquela hora, naquele momento negro, aquelas palavras bravias não resolviam nada. E era preciso resolver. O Major Frias pediu uma resposta. Como decidir? O Imperador pôs-se a passear. Ia-lhe na alma uma tormenta. Estava abatidíssimo. De súbito, estacando, chamou o Intendente de Polícia. Lopes Gama acudiu pressuroso.

— Vá à cidade, Sr. Lopes Gama; vá à cidade a toda pressa, procure-me o Senador Vergueiro. Procure-o por toda parte. Traga-me o Senador aqui imediatamente.

Lopes Gama partiu às correrias. E o Imperador, virando-se para o Major Frias:

— Espere aí. Quando o Vergueiro chegar, darei a resposta definitiva...

E caiu de novo, naquele salão lúgubre, um silêncio de morte. Apertava a todos a mesma angústia. Os ministros mostravam-se sucumbidos. A Imperatriz chorava. D. Pedro, as mãos às costas, o cenho franzido, continuava a passear tragicamente. Transcorreram-se assim duas horas. Duas longas horas, infinitas horas. Duas horas dolorosíssimas de viver. Ao fim delas, já todos impacientíssimos, entra o Intendente de Polícia. Os palacianos acolheram-no ansiadamente. E o Imperador:

— Onde está o Vergueiro?

— Não foi possível encontrá-lo, Majestade! Entrei por toda parte, entrei em todos os clubes; corri tudo, Majestade, tudo: não há quem saiba do Senador Vergueiro!

D. Pedro compreendeu. Vergueiro seria o único homem, naquela hora, capaz de organizar um ministério popular. Mas o Senador, pelo que acabara de ouvir, parece que se escondera cautelosamente.

D. Pedro teve então, naquele lance, o momento supremo da sua vida. Pôs-se, de novo, a andar agitado. Fazia gestos. Dizia palavras soltas. Às vezes, com o olhar febrento, olhava estranhamente para a Imperatriz. De repente, muito agitado, chegou-se até o varandim do salão. Lançou um olhar pelo parque afora... Tudo deserto! Nem um soldado! D. Pedro teve um assomo de raiva. Recolheu-se. Atravessou o salão nervosamente. O ministro da França e o ministro da Inglaterra seguiram-no. Encerram-se os três na câmara contígua. Foram dez minutos de espera, de palpitação. Que estaria resolvendo o Imperador? Mas eis que a Porta se abre. E D. Pedro surge. Sua Majestade tem os cabelos desordenados, uns olhos que saltam. Sua Majestade traz na mão uma larga folha de papel. D. Amélia, ao vê-lo, ergue-se assustada:

— Que é isto?

D. Pedro, estendendo-lhe o papel:

— Leia!

A Imperatriz lê:

"Usando do direito que a Constituição me concede, declaro que hei mui voluntariamente abdicado na pessoa do meu muito amado e prezado filho o Sr. D. Pedro de Alcântara. Quinta da Boa Vista, em 7 de abril de 1831, 10.º da Independência e do Império".

A abdicação! D. Amélia mal acredita no que lê. O coração bate-lhe desordenado. Aquilo é gravíssimo! E a Imperatriz tomba sobre a cadeira, arrasada. As lágrimas arrebentam-lhe dos olhos aos borbotões. D. Pedro toma-lhe o papel e passa às mãos do Major Frias. Todos, perplexos, olhos escancarados, ouvem do Imperador esta coisa enorme:

— Major, eis aqui a minha abdicação. Pode levá-la ao povo. Desejo que sejam felizes! Retiro-me para a Europa e deixo o país que tanto amei e amo...

E D. Pedro, com um gesto brusco, despede o Major Frias. Há um momento de estatelamento. Ninguém sabe o que fazer. Mas nisso, recobrando-se, Paranaguá brada para Lopes Gama:

— Senhor Intendente! Corra ao Major Frias, traga-o para aqui, vamos protelar ao menos até amanhã essa abdicação...

Lopes Gama precipita-se à cata do mensageiro. Alcança-o no pátio, montando a cavalo. Mas o Imperador, assomando ao varandim, grita com a mais categórica autoridade:

— Deixe-o ir, Senhor Lopes Gama! Deixe-o ir!

O Major Frias, diante da ordem, parte a todo galope. Dentro em pouco, no Campo de Sant'Ana, os amotinados recebem, estuporados, a notícia fulminante. Pediam os insurgentes uma simples mudança de ministério: tomba-lhes de improviso a abdicação do Imperador. Ficou tudo bestificado!

II

Enquanto o Major Frias, esporeando o cavalo, trotava num galope solto a caminho do campo de Sant'Ana, D. Pedro fez partir um mensageiro urgente ao Almirante Baker. O Imperador mandava-lhe pedir agasalho a bordo da nau inglesa "Warspite", ancorada no porto. O homem saiu desabalado.

D. Pedro, ao depois, apertou nervosamente a mão aos ministros e aos diplomatas. Não disse uma única palavra. Recolheu-se precipitado aos seus aposentos.

Então, dentro do Paço, foi uma correria. Aprestos vertiginosos. As retretas abriam as malas, afobadas. Os moços da câmara empacotavam a baixela. A camareira-mor enchia duas vastas caixas de xarão com as jóias da Imperatriz.

D. Amélia, por seu turno, chorava sempre. E abancada à sua secretária, com os olhos vermelhos, sufocando os soluços, escrevia uma carta agitada. Enquanto isso, no seu quarto, D. Pedro abria maços de documentos. Lia-os. Rasgava uns; colecionava outros. Esse trabalho durou até pela manhã. Eram mais de cinco horas quando o mensageiro voltou. D. Pedro recebeu-o:

— Que disse o inglês?

— Está tudo prestes Majestade! A nau "Warspite" tem ordens para receber a família imperial.

— Nesse caso, tornou D. Pedro, resoluto, vamos partir já. Vamos aproveitar a hora para não alarmar a cidade. Mande preparar os coches...

O homem partiu a cumprir as ordens. D. Pedro ficou só. Foi nesse instante que o Imperador, muito chocado, o coração aos saltos, penetrou devagarinho no quarto do príncipe herdeiro. Que cena tocante! O menino dormia na sua cama, dourada, sob o dossel de damasco rosa. Todo ele era inocência e graça. Muito gordanchudo, muito corado, o pequenino Imperador do Brasil repousava entre fofezas, todo aninhado, doce como um passarinho.

Junto à cama, austera e grave, a Condessa de Belmonte, D. Mariana Carlota Verna de Magalhães, velava o dormitar do pequerrucho. A preceptora de D. Pedro II estava fundamente acabrunhada. Os acontecimentos conturbaram-na. E ao ver entrar o Imperador, ali, àquela hora, a camareira ergueu-se, surpresa. D. Pedro, pé ante pé, aproximou-se da cama. Olhou o filho. Viu-o resfolegar tão descansado! Contemplou, com o coração golpeado, aquela criaturinha galante, aquele anjo de cinco anos, fino e trigueiro, em cuja fronte cintilava, desde há pouco, a coroa do Brasil...

D. Pedro fora sempre, em todos os transes, um pai modelarmente bom, terníssimo. Sentiu, naquele momento, o coração confranger-se-lhe no peito. Naquela hora, mais do que nunca, sentiu o pai amoroso a crueza da despedida. Aquele adeus rasgava-lhe a alma como um punhal. D. Pedro contemplou longamente o menino, longamente... Não teve coragem de acordá-lo! Curvou-se de manso, muito ao de leve: e pôs-lhe na carinha vermelha um beijo de fogo. As lágrimas jorram-lhe dos olhos, grossas e queimantes. Um acesso de choro, um explodir de soluços, sacudiu nervosamente o monarca. D. Pedro não pôde mais: saiu às tontas, cambaleante, do quarto do principezinho...

No mesmo instante, furtiva, em lágrimas, D. Amélia também veio despedir-se da criança. Entrou. Beijou-a na face. Fitou-a com ânsia. Depois, muito macia e tímida, depositou sobre o travesseiro uma carta. Era a sua despedida. Nela, em ternuras longas, a madrasta dizia um adeus cruciante ao frágil monarcazinho: "Adeus, órfão imperador, vítima da tua grandeza antes que a saibas conhecer! Adeus, anjo de inocência e de formosura! Adeus! Toma este beijo, e este, e mais este... e este último! Adeus para sempre! Adeus!"

Dentro em pouco, no lusco-fusco da manhã, descia as escadarias de São Cristóvão o Senhor D. Pedro de Alcântara. Seguia-lhe os passos a Senhora D. Amélia. Vinham sem corte. Não quis D. Pedro que os criados o acompanhassem. Timbrou em sair solitário do Paço. E na manhã bruxuleante, fúnebres e trêmulos, os dois vultos subiram ao coche. Ouviu-se um áspero ranger de rodas. Os cavalos arrancaram...

E foi assim que os nossos primeiros Imperadores, abandonados e destronados, partiram do Brasil, rumo do seu exílio.

* * *

Naquele instante carrancudo, no instante da máxima desdita, ao ir-se para o desterro, um pensamento empolgava D. Pedro: qual seria o homem capaz de dirigir os destinos do seu filho? Qual seria, no Brasil, *o* homem capaz de ser tutor do Imperador pequenino? De ser o pai daquela criança de cinco anos?

D. Pedro passou e repassou, no cérebro esbraseado, os nomes dos seus amigos. Analisou-os. Balanceou-lhes as qualidades morais. E D. Pedro, naquele desfile, não encontrou, entre tantos antigos servidores, um só que lhe parecesse à altura de tão magnífica responsabilidade. Mas eis que, dentro da sua consciência, surge repentinamente a figura dum homem. É a figura dum velho, figura olímpica e majestosa... Este, sim, este era digno de ser o tutor da criança. Este, sim, era digno de formar o coração do Imperador. Quem era? Aquele mesmo que um dia o Imperador fechara no cárcere imundo da fortaleza de Santa Cruz. Aquele a quem o Imperador, um dia, enxotara impiedosamente da Pátria: era José Bonifácio!

D. Pedro não hesitou. Escreveu ao seu velho inimigo uma carta imorredoura, uma carta que honra a quem a traçou e a quem a recebeu. Dizia assim:

"A José Bonifácio de Andrada e Silva. *Amicus certus in re incerta cernitur.* É chegada a ocasião de me dar uma prova de amizade, tomando conta da educação do meu muito amado e prezado filho, seu Imperador. Eu delego em tão patriótico cidadão a tutoria do meu querido filho e espero que, educando-o naqueles sentimentos de honra e de patriotismo com que devem ser educados todos os Soberanos para serem dignos de reinar, ele venha um dia a fazer a felicidade do Brasil, de que me retiro saudoso. Eu espero que me faça este obséquio, acreditando que, a não mo fazer, eu viverei sempre atormentado. Seu amigo constante, Pedro".

Com a carta, ia o decreto de nomeação. Entre outras coisas, assim se expressava o decreto famoso:

"Hei por bem, usando do direito que a Constituição me concede no Capítulo 5.º artigo 130: Nomear como por este Meu Imperial Decreto nomeio, Tutor de meus amados e prezados Filhos, ao muito Probo, Honrado e Patriótico Cidadão José Bonifácio de Andrada e Silva, meu verdadeiro amigo".

No instante doloroso, na hora áspera da desgraça, viu D. Pedro que o seu verdadeiro, o seu único amigo, o "Cidadão Probo, Honrado e Patriótico", estava ali no adversário de ontem. Estava no inimigo que ele desterrara sem dó. O grande, o digníssimo Andrada, lá no seu pobre retiro, ao receber a carta honrosa, havia de sentir, bem dentro do coração, um estremeção de legítimo orgulho: aquilo era a paga mais fulgurante à sua nobre existência de honradez. Aquilo era a suprema vitória. Era o louro da sua velhice.

* * *

Alguns dias passou o Imperador a bordo da *Warspite*. Daí dirigiu uma vasta proclamação aos brasileiros, explicando-se. Daí escreveu vários ofícios ao Marquês de Caravelas, regularizando os seus negócios financeiros com o Império. Daí mandou uma enternecedora carta de despedida aos seus amigos. D. Pedro separava-se deles com pungentes mágoas:

"Eu me retiro para a Europa, saudoso da Pátria, dos filhos e de todos os meus verdadeiros amigos. Deixar objetos tão caros é sumamente sensível, ainda ao coração o mais duro. Mas deixá-los para sustentar a honra, não pode haver maior glória. Adeus para sempre! Bordo da nau inglesa "Warspite", 12 de abril de 1831. — D. Pedro de Alcântara de Bragança e Bourbon".

Naqueles dias, antes de partir, teve ainda D. Pedro, a bordo, a mais bela e a mais dilacerante das alegrias: recebeu uma carta do filho. D. Pedro II fora duma precocidade notável. Aos cinco anos já começara a escrever. Por isso, com gentileza comovedora, o imperadorzinho garatujara algumas linhas de despedida ao pai que partia. Não há o que conte a dor de D. Pedro. Aquelas letras, desajeitadas e grossas, anavalharam-lhe o coração.

E respondeu assim ao menino:

"Meu querido filho e meu Imperador. Muito lhe agradeço a carta que me escreveu. Mal a pude ler. As lágrimas eram tantas, que me impediam o ver. Agora, que me acho, apesar de tudo, um pouco mais descansado, faço esta para lhe agradecer a sua e certificar-lhe que, enquanto vida tiver, as saudades jamais se extinguirão em meu dilacerado coração. Deixar filho, pátria e amigos, não pode haver maior sacrifício; mas levar a honra ilibada, não pode haver maior glória! Lembre-se sempre de seu pai. Ame a sua e minha pátria. Siga os conselhos que lhe derem aqueles que cuidarem da sua educação e conte que o mundo o há de admirar, e que eu me hei de encher de ufania por ter um filho digno da pátria. Eu me retiro para a Europa; assim é necessário para que o Brasil sossegue, e para que, permitindo Deus, possa para o futuro chegar àquele grau de prosperidade de que é capaz. Adeus, meu amado filho! Receba a bênção de seu pai, que se retira saudoso e sem mais esperança de o ver. — D. Pedro de Alcântara, Bordo da Nau Warspite, 12 de abril de 1831".

Vários dias ainda demoraram-se os ex-Imperadores a bordo da *Warspite*. Daí, por conveniência da viagem, transferiram-se para a corveta *Volage*. A Senhora Dona Maria da Glória acompanhou o pai. A rainhazinha de Portugal embarcou na nau francesa *La Seine...* Levava consigo os Marqueses de Loulé e o Conde de Sabugal.

O embarque dos imperadores, assim como a transladação da *Warspite* para a *Volage*, assim como a estadia no porto, foram sempre rigorosamente garantidas pelo governo da regência. Não houve um só desacato. Não houve embaraço algum às pessoas imperiais. O governo agiu com a maior dignidade. Tanto e de tal forma, que os comandantes das forças navais da França e da Inglaterra dirigiam conjuntamente ao Ministro dos Estrangeiros, uma carta que honra. Ei-la:

> *"Monsieur. Les commandants des forces navales, soussignés, après avoir acoompli le grand acte d'hospitalité, auquel les circonstances les appelaient, croient de leur devoir de vous exprimer leur reconnaissance pour les facilités qu'ils trouvés prés ont du nouveau gouvernement brésilien, et pour la modération pleine de noblesse, que ce gouvernamente n'a cessé de montrer, durant l'operation et l'embarquement de Leurs Magestés. Ils vous prient en outre, Monsieur, de vou loir bien agréer l'assurance de leur baute considération. — J. Grivel, W. Baker, Rade de Rio de Janeiro, le 14 avril 1831".*

A catorze de abril, enfim, as naus levantaram ferro. À frente, singrava a *Volage*. Seguia-a a *La Seine*.

Atrás, por uma galantaria do governo, uma nau brasileira. Era a *Amélia*. Ia comboiando os Imperadores até saírem a barra.

D. Pedro encosta-se à amurada da corveta. E contemplava, com olhos enevoados, a terra que se ia perdendo na distância. Lá estava, lá ao longe, apagando-se, o Império que ele criara na América... Foi então que duas lágrimas, bem grossas e bem sentidas, despencaram dolorosamente dos olhos do soberano. Tinha razão o moço destronado. Nada mais justo do que esse sentido despencar de lágrimas: aquele olhar, turvo de pranto, era o último olhar que Sua Majestade lançava ao Brasil...

O FIM

D. Pedro IV,
Rei de Portugal, 1823
Gotardo Grondona

D. Pedro I
Debret

24 DE SETEMBRO DE 1834. Palácio de Queluz. Sala "D. Quixote". Num largo leito de carvalho, sob o dossel de damasco franjado, agoniza um homem escaveirado, a barba crescida... É D. Pedro I.

Junto dele, sufocando os soluços, uma elegantíssima mulher tem os olhos vermelhos de chorar. É D. Amélia. Num canto, o rosto fincado na mão, o lenço nos olhos, uma rapariga loira, muito leve, muito fina, chora convulsamente. É D. Maria II, Rainha de Portugal.

No velho Paço, dentro daquele ambiente lúgubre sob o crepitar mortiço dos candelabros de prata, morre o fundador do Império do Brasil. Morre, no mesmo quarto onde nasceu, aquele que desagrilhou a Terra de Santa Cruz.

Que é que matou D. Pedro I? Tanta coisa...

* * *

O moço Bragança repusera a filha no trono de Portugal. Foi a grande epopéia de sua vida. Foi a sua página belamente heróica. Vitória magnífica, vitória que custara jorros de sangue, esse triunfo, no entanto, empalidecera logo: os portugueses tiveram para com D. Pedro IV a mais áspera das ingratidões. Senhor do trono, tendo já esmagado os seus inimigos, o primeiro ato de D. Pedro assinalou-se por uma nobreza marcante. Sua Majestade, com largueza magnânima, mandou lavrar dois decretos que o nobilitam: concedeu anistia ampla a todos os vencidos; suspendeu o odioso seqüestro, que então se praticava, dos bens particulares dos inimigos. Esta generosidade do soberano, que diz tão alto do seu espírito, irritou os liberais *fanáticos*. Os partidários de D. Pedro magoaram-se com tão largo perdão. Queriam todos a pulverização dos miguelistas, vinganças atrozes, desforras de saciar. O ato do imperador acirrou despeitos fundos. E os constitucionais (quase nem se acredita!) levantaram-se em massa contra o seu grande herói.

Foi no Teatro de S. Carlos. D. Pedro, apesar de doente, timbrara em assistir ao espetáculo de gala. Torrenciosa multidão de exasperados atulhava o Rocio. A carruagem real, tirada a quatro, varou por aquela onda formigante. Nisso, em meio da turba, irrompeu uma assuada tremenda... Era a vaia! Uma vaia estrondejante, arrasadora. Sob os gritos, debaixo de assobios, as vidraças do coche espatifaram-se de súbito: a multidão apedrejava o seu ídolo! D. Pedro sentiu nos cochins da carruagem, aquela saraivada de pedras e de lama que a populaça arremetia com estrépito. O Duque de Bragança indignou-se! Mas não era homem para recuar. D. Pedro nunca recuou na vida. E gritou para o cocheiro:

— Toque!

O cocheiro tocou. Os cavalos romperam fogosamente pela massa. D. Pedro saltou no teatro. Entrou impavidamente. Mas quando, no camarim real, Sua Majestade, pálido e ofegante, apareceu diante daquela assistência bravia, irrompeu de todas as bocas, novamente, assustadoramente, uma vaia mais cruel, mais fragorosa. D. Pedro, os olhos chispantes, não pôde se conter. E gago de cólera:

— Canalhas!

A multidão, ouvindo o apodo, prorrompeu em uivos. E foi, pelo teatro abarrotado, uma atoarda só:

— Fora! Fora!

Sobre o camarim real, por acinte, chovem patacos, moedinhas de prata, vinténs, todo o achincalhamento. D. Pedro, de pé, extremamente pálido, treme... E eis que, num momento, o Imperador sente qualquer coisa de estranho, qualquer coisa de quente subir-lhe a garganta. Leva rapidamente o lenço à boca. E o povo, que o pateia, vê, com assombro, um jato vermelho borbotar na boca do Imperador... É uma hemoptise. Grande pasmo! Novo jorro espumeja-lhe no lenço. A vaia pára. Mas D. Pedro, com supremo esforço, o gesto brusco, grita para o maestro:

— Música!

O maestro obedece. Rompe a música. E D. Pedro assiste, até o fim, à representação no Teatro São Carlos.

* * *

D. Pedro aparentava uma saúde de ferro. Mas era só a aparência. Conta Alberto Pimentel:

"Durante o cerco do Porto, todos os antigos sofrimentos agravaram. Repetiram-se com maior freqüência as recrudescências hepáticas. D. Pedro tivera algumas vezes febre, prostração, dor no hipocôndrio direito. Também, estremeções ao acordar. O edema nos pés era um mau sintoma, em que os médicos repararam. Nos últimos dias do Porto, D. Pedro, como vimos, andava mais adoentado; mas a alegria de vir para Lisboa fê-lo reanimar, esquecer-se de si mesmo. Em novembro de 1833, o imperador, resfriando-se ao passar de Lisboa para Almada, foi acometido duma bronquite com febre. Mais convalescido, teve de ir ao Cartaxo. Constipou-se novamente. Na expectoração, apareceram alguns laivos de sangue".

Essa natureza doentia, portanto, foi enormemente brechada pelas agitações do Brasil e pelas imensas energias gastas no cerco do Porto.

Paulo Setúbal

Tem razão o distinto historiador em ponderar: "Tantos trabalhos e canseiras, tantas dúvidas e incertezas, as amarguras curtidas no Brasil, especialmente durante os tormentosos dias de abril de 1831, os sobressaltos da peregrinação pelas cortes de Londres e Paris, a discórdia entre os emigrandos, a violenta linguagem de alguns deles, a penosa organização do exército e, mais que tudo, o rude e longo cerco do Porto gastaram a vida, facilmente impressionável de D. Pedro IV."

Não há que duvidar. Eis a dura verdade: a vitória da filha arrancou-lhe a vida. O triunfo matou-o. Durante aqueles minguados meses em que governou Portugal, na qualidade de regente da rainhazinha, os dias de D. Pedro esvaíam-se gota a gota. E foi um peregrinar de palácio a palácio, um buscar de ares sadios, um correr por sítios pacatos e repousantes. Até que um dia, revigorado por inédita, imprevista rajada de entusiasmo, D. Pedro quis ver o Porto. Quis ver, ao lado da filha, sua rainha, a cidade fiel que fora o cenário da sua glória. E embarcou, numa viagem de gala, a relembrar os sítios dos seus altos feitos.

O Porto delirou em receber a pequena rainha constitucional. Toda a cidade embandeirou-se. Flores juncando as ruas. Colchas da Índia tombando das varandas. Todas as casas enfeitadas de bandeirolas. Arcos de triunfo. E por toda parte:

— Viva D. Maria II!

— Viva D. Pedro IV!

Diz o historiador: "D. Maria II era nessa hora o enlevo dos olhos dos constitucionais do Porto, que pela primeira vez a viam. A família real entrou a cavalo. A rainha trajava de amazonas: vestido de pano azul com a gola e o peitilho bordados a ouro; chapéu alto, à inglesa, de pelúcia preta e pendendo dele um véu de gaze de seda verde; colarinhos virados, gravatinha azul-clara. D. Maria da Glória, sem ser bela, era uma graciosa figurinha de princesa de raça. Muito elegante, a cabeça altiva, tez branca e fina, uma maciez de cetim. Ao aspecto senhoril, realmente superior à sua idade, aliava a vivacidade própria dos seus anos".

Durante dez dias, a família real viveu em festas. D. Pedro, esse extenuara-se. As audiências, as recepções públicas, a parada, o grande baile de gala, desmoronaram-no definitivamente. D. Pedro teve, com essa apoteose, o derradeiro raio de alegria. As festas do Porto foram o seu último gosto.

* * *

Daí em diante, a saúde do Duque de Bragança descambou vertiginosamente. Teve que deixar Lisboa e correr à busca das Caldas da Rainha. Quase não suportou a viagem, tão débil estava. Mas foi tudo em vão! Caldas da Rainha não lhe tonificaram o sangue. Voltou para Lisboa. Em Lisboa quedou-se no Palácio de Queluz.

Começa o fim. É Alberto Pimentel quem o pinta:

"Em Queluz, tudo faz supor que o termo da existência do imperador não pode vir longe. D. Pedro passa as noites muito inquieto; a dispnéia aumenta. Ao romper da manhã, o doente dorme alguns momentos, poucos. Durante o dia, limita-se a receber na sua câmara, com visível fadiga, os ministros, a infanta D. Isabel Maria, e alguma outra pessoa mais íntima".

D. Pedro compreendeu que ia morrer. E preparou-se então para a hora suprema. Mandou chamar o notário e ditou as disposições de última vontade. Mandou chamar o Bispo, confessou-se e comungou. E enfim, num arranco de vida, tracejou de seu próprio punho uma carta ao parlamento, afastando-se dos negócios públicos. Assim:

"Senhores Deputados da Nação Portuguesa! Sempre franco e fiel aos meus juramentos, e obedecendo à minha voz de consciência, vou participar-vos que, tendo ontem cumprido os deveres de filho da Igreja Católica e de pai de família, julgo também do meu dever participar-vos que o mesmo estado de moléstia, que ontem me ditou aquelas resoluções, me inibe de tomar conhecimento dos negócios públicos, em cujas circunstâncias vos peço queirais prover de remédio. Eu faço os mais ardentes votos ao Céu pela felicidade pública. Palácio de Queluz, em 18 de setembro de 1834. D. Pedro, Regente".

O parlamento resolveu facilmente o caso: declarou D. Maria da Glória maior, a fim de reconhecê-la como rainha de Portugal. D. Maria II, nessa hora, assumiu de fato a realeza. Tinha quinze anos. A brasileirinha, nesse mesmo dia, presidiu ao Conselho. A energia com que se portou, a áspera firmeza de suas resoluções, revelaram logo a mulher de fibra que havia naquela estranha boneca loura.

No entanto, dentro da sala D. Quixote, o imperador agonizava. Foi uma cena desolante. D. Pedro chamou a imperatriz D. Amélia. Abraçou-a longamente... E ali, com pormenorizadas minúcias, recomendou-lhe os seus amigos. Não se esqueceu dum só. Recomendoulhe, mais, um a um, todos os seus filhos. Nem omitiu a Duquesa de Goiás, nem Rodrigo Delfim Pereira, nem Pedro de Alcântara Brasileiro... E chorava. D. Amélia também chorava. Todos choravam.

Depois, quis ver a rainha. D. Maria da Glória veio, pequenina e trêmula. D. Pedro beijou-a mil vezes. Apertou-a muito ao peito. Não disse uma única palavra. Enfim, muito chocado e muito doce, chamou o Duque da Terceira, seu velho general. Despediu-se dele comovidamente.

O velho Duque não podia se reprimir: as lágrimas jorravam-lhe dos olhos aos borbotões. D. Pedro murmurou:

— Vou morrer; mas, para morrer contente, meu caro Duque, eu quero ver um soldado do Porto. Um daqueles bravos do cerco...

O Coronel Pimentel saiu às pressas à cata de um soldado do Porto. Encontrou a Manuel Pereira. Era o 82 da segunda companhia. Trouxe-o até o Paço. D. Pedro, no leito, recebeu-o com ternura. Tomou-lhe as mãos. Apertou-as. Abraçou-o. O 82 tremia...

D. Pedro, ofegante, disse-lhe apenas:

— Transmite este abraço aos teus camaradas... É a minha última lembrança!

Conta o historiador: "O 82, curvado e trêmulo, chorava como qualquer criança. Parecia chumbado ao chão, sem poder mover-se.

Foi preciso tirá-lo dali, levando-o pela mão, como se fora um cego. Por muito tempo, Manuel Pereira ficou padecendo ataques nervosos, devidos à comoção desse dia".

* * *

Começou, então a agonia. Durante três dias, naquela fúnebre sala D. Quixote, foi um morrer doloroso, devagarinho...

Mas os negócios públicos não estacionaram. D. Maria da Glória, numa sessão fulgurante do parlamento, foi reconhecida solenemente como rainha. Jurou à Constituição. Recebeu a coroa e o cetro. Ao voltar da sua apoteose, ainda toda refulgente da glória, a rainhazinha encontrou o pai a morrer. Estava nos últimos lampejos. Então, naquele momento supremo, a pequenina D. Maria II assinou rapidamente o seu primeiro decreto: era um decreto conferindo a D. Pedro a grã-cruz da Torre e Espada.

A Torre e Espada, ordem velhíssima, D. Pedro a reformara no Porto para "premiar o valor, a lealdade e o mérito dos soldados".

A menina coroada entrou no quarto do pai. Estava nos estertores aquele que bravamente a colocara no trono. Estava morrendo o mais duro soldado do cerco do Porto! A linda criaturinha circundou-lhe galantemente o pescoço: e no peito do moribundo, com uma delicadeza enternecedora, pregou a grã-cruz da Torre e Espada! O pai, semicerrando os olhos, sorriu palidamente à filha que o galardoava...

E morreu. Morreu condecorado pela rainha a quem dera a coroa...

Assim passou aquele que foi o criador do Império Brasileiro. Assim passou aquele galhardo, aquele simpático rapaz que foi D. Pedro I do Brasil e Pedro IV de Portugal.

O moço herói, de vida tão cheia, tinha apenas, ao morrer, um pouco mais de trinta e cinco anos.

UM LIVRO
FASCINANTE

por Fernando Jorge

Paulo Setúbal, juntamente com Monteiro Lobato, tornou-se na sua época o escritor mais lido do Brasil, graças aos romances históricos que escreveu, como *A marquesa de Santos, O Príncipe de Nassau, As maluquices do imperador, O ouro de Cuiabá, Os irmãos Leme, O sonho das esmeraldas, A bandeira de Fernão Dias, O romance da prata*. Todos estes livros prendem a atenção do leitor, do começo ao fim, pois Setúbal tinha um admirável talento literário, era um grande escritor. Foi por isto que o maior crítico literário do seu tempo, o exigente Agrippino Grieco, afirmou no *Boletim de Ariel*:

"Paulo Setúbal realiza em nossa terra o ideal, tão raro aqui, do narrador empolgante. Ele é dos que valem pelo interesse do entrecho, sempre renovado, e pela feliz articulação dos detalhes, sem se esquecer de um estilo em que há verdadeira dignidade literária".

Affonso de Esgragnolle Taunay, o insigne historiador das bandeiras paulistas, assim se referiu do autor de *A marquesa de Santos*:

"Elevada primazia lhe cabe nos fastos da literatura brasileira: a de haver tornado não só acessível como estimado do nosso público, o romanceio dos assuntos de nossos anais, por uma série de livros vivazes, plásticos, constantemente interessantes e de bem urdida fabulação. E, sobretudo, sempre honestamente históricos".

Biógrafo de D. Pedro I, o historiador Pedro Calmon também enalteceu Paulo Setúbal:

"O autor é um grande escritor que tem da história uma noção profundamente estética e humana. Não se distancia da verdade que lhe baliza as novelas... Cinge-se apenas ao texto verídico dos cronistas... A impressão que, ao terminar, nos deixam esses livros é de assombro..."

Todas as obras de Paulo Setúbal magnetizam os leitores devido ao estilo vivo, colorido, repleto de calor humano.

Cheios de vida se apresentam as figuras do Primeiro Reinado que aparecem no livro *As maluquices do imperador*: o temperamental D. Pedro I; a louca Maria I, rainha de Portugal, o obeso D. João VI, "insaciável devorador de franguinhos tenros", a infeliz e humilhada Dona Leopoldina, mãe de D. Pedro II; o esperto Chalaça, amigo íntimo de D. Pedro I; o opulento Marquês de Marialva; o belo e varonil Marquês de Barbacena, a encantadora princesa Amélia de Beauharnais...

Ler *As maluquices do imperador* é conviver com todas estas figuras históricas, participar de um augusto momento da história do Brasil.

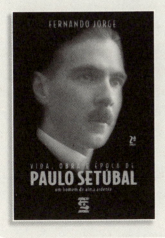

A vida do autor de *As maluquices do imperador* é tão fascinante quanto este livro, como prova a biografia *Vida, obra e época de Paulo Setúbal, um homem de alma ardente*, de Fernando Jorge, lançada pela Geração Editorial e que já se acha na segunda edição.

VIDA, OBRA E ÉPOCA DE PAULO SETÚBAL
Fernando Jorge

Impressão e Acabamento | Gráfica Viena
Todo papel desta obra possui certificação FSC® do fabricante.
Produzido conforme melhores práticas de gestão ambiental (ISO 14001)
www.graficaviena.com.br